1979 年的刘心武 ▶

1982 年在兰州 ◀

▲ 法国·巴黎·罗丹博物馆（1988 年）

BLACK WALLS

AND OTHER STORIES

─ LIU XINWU ─

▲ 刘心武英文小说集《黑墙》（1990 年）封面

刘心武文存12

[1958-2010]

短篇小说 第三卷

黑墙

刘心武◎著

江苏人民出版社

图书在版编目（CIP）数据

黑墙／刘心武著．—南京：江苏人民出版社，
2012.11

（刘心武文存；12. 短篇小说. 第3卷）
ISBN 978-7-214-08049-3

Ⅰ.①黑… Ⅱ.①刘… Ⅲ.①短篇小说－小说集－中
国－当代 Ⅳ.① I247.7

中国版本图书馆 CIP 数据核字（2012）第 049987 号

书　　　名	黑　墙	
著　　　者	刘心武	
责 任 编 辑	刘　焱	
统 筹 编 辑	李　丹	
特 约 编 辑	朱　鸿	
文 字 校 对	陈晓丹　郭慧红	
装 帧 设 计	门乃婷工作室	
出 版 发 行	凤凰出版传媒股份有限公司	
	江苏人民出版社	
出版社地址	南京湖南路1号A楼　邮编：210009	
出版社网址	http://www.book-wind.com	
经　　　销	凤凰出版传媒股份有限公司	
印　　　刷	三河市金元印装有限公司	
开　　　本	700毫米×1000毫米　1/16	
印　　　张	15.5	
字　　　数	223千字	
彩　　　插	4	
版　　　次	2012年11月第1版　2012年11月第1次印刷	
标 准 书 号	ISBN 978-7-214-08049-3	
定　　　价	32.00元	

（江苏人民出版社图书凡印装错误可向本社调换）

《刘心武文存》出版说明

　　《刘心武文存》收录刘心武自 1958 年 16 岁至 2010 年 68 岁公开发表的文字约 900 万字。《文存》共 40 卷，按文章门类收录，计有长篇小说 5 卷、中篇小说 4 卷、短篇小说 5 卷、小小说 1 卷、儿童文学 1 卷、建筑评论 2 卷、《红楼梦》研究 4 卷、散文随笔 11 卷、杂文 1 卷、海外游记 1 卷、多品种（图文交融文本、报告文学、诗歌、剧本、足球评论、译述）1 卷、创作谈 1 卷、理论批评 1 卷、早期（1958 年至 1976 年）作品 1 卷、自述 1 卷。因跨越时间达半个世纪以上，收录定有遗漏，但其此期间的主要作品，相信均已收入。

　　《刘心武文存》各卷均附有《刘心武文学活动大事记》及《刘心武著作书目》，可备检索。

　　编辑出版《刘心武文存》的目的，意在供各方面人士阅读欣赏、分析研究、批评批判、收藏保存。

刘心武文存

12

——

目录

玫瑰与土豆

妈妈总爱翻来覆去地说："那天你刚一跑进场子，往绿茸茸的地毯当中一站，我就认定了：要命！我的玫玫是个艺术天才！"

那时候我才六周岁。

后来我越来越生当年托儿所金阿姨的气，她干吗选我在表演时领舞呢？

从那以后我可就受罪了。每当收音机、电视机里播放音乐、舞蹈节目的时候，妈妈就兴高采烈地命令我说："玫玫，跳哇！跳哇！"

开头，我不过是觉得好玩，随着那音乐的节奏，我就胡乱地扭腰呀、搓步呀、两只胳膊伸开来弯过去呀、把头东歪一下西歪一下呀……妈妈认真地用拍掌给我纠正节奏，简直是目不转睛地无限欣赏地盯着我，嘴里不住喃喃地说："要命！真要命！……"

跳完了，如果爸爸也在屋里，她便会严肃地对他说："玫玫的乐感和节奏感极强，我看她是个舞蹈天才，得培养她！"

爸爸总是叼着烟，笑眯眯地点头。

如果有客人，那就更糟了，跳完了一个，妈妈总要说："玫玫再跳一个！大伙都喜欢看！"

也不知那些客人是真喜欢看还是假喜欢看，他们毫不吝惜地给我热烈鼓掌。如果我学着电视里的左哈拉跳新疆舞，把两只手掌平放在下巴底下，把脖子一左一右地移动起来，所有的人便会爆发出一阵响亮的喝彩声，而妈妈那"要命！真要命！"的赞叹声，总是格外突出。

后来，有一天，妈妈烧出了一大桌菜，请来了一位满头白发的瘦老太婆，我想叫她"姥姥"，可妈妈让我叫她秦阿姨，妈妈直跟她道歉，说爸爸这人就是不关心孩子的前途，明明说好让他今天一定回来陪着喝酒，他中午偏打个电话来说晚上要加班开会，开会也可以请假嘛，他偏死脑筋……其实秦阿姨没有爸爸陪着，喝酒兴致也很高，她说只有歌唱家才怕酒，而舞蹈家没有酒便没了灵感……我正想问什么东西叫"灵感"，秦阿姨却叫我站在她面前，上下打量起我来，又让我把双臂张开，又让我垂臂屈体……最后，她竟把我的右腿搬到了椅子上，还用手压了压我的膝盖，严厉地对妈妈说："你太娇惯她了，得让她下苦工夫——先把韧带松开！"

原来秦阿姨好多好多年以前，曾经是一位迷人的舞蹈演员。妈妈绕了好几道弯，托了好几层人情，请了她，她才半个月来我家一回。

大概是我韧带终于松开了吧，妈妈激动地带我去报考舞蹈学校。

这不能怪我——所有的考试项目我都是认认真真地对待的，可我还是没有考取。

得到这个坏消息那天，妈妈一脸的乌云。她愤愤地对爸爸说："哼，肯定名额都让后门占了！什么风气！"

爸爸排解地说："也不一定吧……再说，我们不也托了秦阿姨去推荐吗？看来，干这一行，玫玫的条件还不大够……"

"我看玫玫的艺术细胞就是比较发达！"妈妈不服气地说。

什么叫"艺术细胞"呢？

这时候我已经上小学三年级了，不知为什么，妈妈突然让我转学，由离家比较近的学校，转到了一所离家比较远的学校；而且，转好以后，妈妈不是先带我去见班主任老师，而是去见音乐老师。

那位音乐老师是个戴眼镜的胖阿姨，她一听妈妈提起秦阿姨，便满脸高兴。听妈妈跟她那么亲亲热热地一聊，我才明白，秦阿姨建议我改学器乐，这位裴老师，据说是她远房的外甥女，按钢琴弹奏水平来说，教小学是屈才了，但她眼睛受过伤，有一只眼几乎失明，所以无法在乐团演奏。她当即让我把手放到了钢琴键盘上，又让我使劲张开五指，她说我的手长得不错，将来会比她的手还大；又弹了几组音，让我听完唱出来……最后她说可以吸收我参加学校里的钢琴小组，并且对我格外加强训练。妈妈高兴得一连串地说："要命！真要命！……"

裴老师先教我弹拜厄 OPUS 101 里的练习曲，还没学会第 26 条，班主任到我家找妈妈谈话了，他说似乎没有必要让我每天课后都去找裴老师练琴，我的语文和算术作业虽然每次还能按时交上去，但我的测验分数竟一回不如一回，最近的一次算术测验，才得了 76 分。

"当然，这很不好。"妈妈承认，"搞艺术的人，一般的知识也应该学好。"

可是她不容班主任老师同她讨论我的学习问题，便滔滔不绝地聊开了："我们玫玫呀，要命！在托儿所里的时候，她就显露出了文艺天才——那年给外宾演出的文艺晚会，是在工人体育馆举行的哩！前头就有玫玫他们托儿所的幼儿歌舞，玫玫是领舞呢！她往那绿茸茸的大地毯当中那么一站，那灯光把她那么一圈，要命！我就看出来了：她的文艺细胞就是发达！……"

这当然都是些大惊小怪的话。直到上了初中以后，偶然的一个机会，我才见到了当年幼儿园的金阿姨，我不禁问她："您那天干吗让我领舞呀？"

金阿姨对那次演出记忆犹新，她毫不迟疑地告诉我说："因为你妈妈给你买的那条扎蝴蝶结的彩绸上，有金线织出的条纹儿，可别的小朋友们的蝴蝶结上都没有……"

原来如此！

我可不敢把这话告诉妈妈。不知从什么时候起，她就养起了一盆玫瑰，每隔不久，那植株上便开出一两朵艳红的花来，还飘出阵阵甜腻的香气。妈妈总爱指着那盆玫瑰对我说"玫玫，这就是你！你不是牡丹，不必去走那当官的富贵之路！你也不是指甲花，庸俗难耐，只是给人家揉碎了涂指甲！你是玫瑰——艺术之魂！"

我一直不懂什么叫"艺术细胞",这下更好——"艺术之魂"——简直莫名其妙!

弹完了一整本拜厄OPUS 101,裴老师介绍我去少年宫参加了器乐组,每次活动完了回到家里,妈妈总要迫不及待地问我:"今天攻下几条了?"可是我觉得车尔尼OPUS 599一条比一条难弹,而且,最要紧的,是我清醒地发现,我既无什么"艺术细胞",更无什么"艺术之魂"——我是在替妈妈弹奏着每一个音符。

有一天从少年宫出来,手里抱着琴谱,我真不想回家。

那时正好夕阳西下,玫瑰色的夕阳映照着筒子河边的小叶枫,我看见一群有大有小的小姑娘,正在小叶枫后的甬路上玩拽包儿。嘿,她们玩得多快活呀!一个人把灌满沙子的百衲包往人群中一拽,其他的人哗笑着往四处一躲,有的还高高跳起,让那包儿从胯下飞过去,气得拽包儿的尖声叫唤起来……

我在旁边看了一会儿,她们发现了我,爽朗地邀请我:"跟我们一块玩吧!""你跟我们这边一头吧!"

我摇摇头说:"不……"

妈妈从来不许我跟小朋友们玩这类游戏,什么跳猴皮筋啦、跳房子啦、耍羊蹦骨啦……当然,更不会允许我玩拽包儿这种最"俗"的游戏。我是玫瑰花,而她们……顶多只不过是指甲花。

她们当中看起来个头最大的那个,梳两个大抓髻,穿一身大红格子外套的,估计比我高出两三个年级,走拢我面前,把我胳弯里夹着的琴谱一抽,往她们的书包堆上一放,笑嘻嘻地说:"来吧来吧,跟我们一块玩吧!"

我后来知道,她叫李翠芬,爸爸和妈妈都是售货员。我让她那么痛痛快快地一邀请,便把什么"艺术细胞"和"艺术之魂"都忘记了,仿佛一条原来喘息在泥沟里的鱼儿,突然被放进了小溪当中,我跳着、笑着、拽着、推搡着、尖叫着……

不知不觉地,天就暗下来了,最后,夕阳把筒子河的河水照得活像一片盛开的玫瑰,比我们家花盆里的玫瑰,艳丽多了!

正当我们要散去时,妈妈突然出现在我的眼前,我大吃一惊,慌忙去把琴谱拿到手上。她脸上出现了我从来没有看见过的表情，并且，当我们一起回到家里以后，她竟坐下来哭了。一边哭一边埋怨爸爸："你什么都不管、不管……你看这怎么得了？她就这么样地不知好歹！"

的的确确，我是不知好歹，就在妈妈爸爸为我攒的买钢琴的钱超过一半时，我明确地向他们宣布："我的钢琴也就练到这个份儿上了，再练我也上不去了，不信，你们问裴老师！"

妈妈去找了裴老师，裴老师跟她谈了实话——就业余的范畴来说，我当然可以算是一个不错的弹奏者，将来可以——比如说，为某种业余歌唱家弹伴奏，但如果真想投考中央音乐学院附中学钢琴，那么，能否取得复试权都还难说。

我们家于是没有买钢琴，但攒的钱并没有浪费——我们添置了一台 SONY 牌的双声道立体声收录两用机和一张富丽堂皇的长沙发。

"没有音乐家也不要紧。"爸爸安慰似的说，"我们都可以坐在这儿享受音乐的美，音乐本来就是属于所有的人的——比如像我这样的，坐办公室的人。"

我觉得他说得很对，可妈妈听了竟生起气来："不！"她宣誓般地说："我一定要让玫玫在艺术领域里出成绩！我早就知道，她是属于艺术的，艺术也是属于她的！"

直到现在，这对于我来说还是一个谜——妈妈为什么对文学艺术这般地倾心？

据说她在上中学的时候，是话剧队的一个活跃分子。登台演出一定给她留下了某种难以估量出来的满足和刺激。可惜的是她以前参加演出的全部照片都在那个我弄不清楚的十年里烧掉了，只是在我升到四年级的时候，她当年的一个老同学突然跑来看她，并且把一张当年她们同台演出的照片带给了她，我才头一回看到了舞台上的妈妈——那是话剧《雷雨》中的一个场面：她在最后一幕的最后关头才出场，扮演一个女仆，扶着发了疯的女主人繁漪走向舞台正中……最近我才读了《雷雨》的剧本，我很惊异妈妈竟乐于扮演这么一个仅仅出场一分钟的角色，并且对这样一次舞台体验永志不忘。

那个来看望妈妈并且一起叙旧的阿姨，正是当年扮演繁漪的，妈妈提起这位阿姨的"艺术细胞"，连说了一串"要命！真要命！"可是我一问，才知道这位阿姨如今并不是什么剧团的演员，而是一位从事离文学艺术最最遥远的什么合成尿素设备安装的工程师！

但是看得出妈妈今天仍然崇拜她，因为她们曾同台演出《雷雨》，并且她把主角繁漪演得那么"要命"。妈妈崇拜一切跟文学艺术有关的东西——比如说，还有爸爸，妈妈决定和他结婚的时候，他是一个最有名的文工团里的演出队副队长，尽管爸爸早就转业到今天所在的机关里，并且提升为处长了，可妈妈说起那个文工团来，还常用"咱们的"这样一个修饰语。

她一定感到很痛心。为爸爸当年虽然在文工团里但并不是演员痛心。为爸爸后来离开了文工团来到了如今这么一个没有"艺术细胞"的机关痛心。为"咱们的文工团"如今境况不如以前红火痛心。当然，更为她自己未能进入艺术界的圈子，而只成了一个出纳员痛心……

记得有一回我跟妈妈去听音乐会，开演以前，我正漫不经心地东张西望，她突然用胳膊肘使劲撞我的胸脯，只见她眼光直勾勾地射向右前方，嘴里喃喃地说："要命！真要命！玫玫，你快看啦——王丹凤！王丹凤啊！"我望过去，确确实实，是王丹凤，我在《大众电影》上看过她的照片。不少人也都在朝王丹凤那儿张望。

回到家里，她就对爸爸絮絮叨叨地说："要命！真要命！王丹凤啊！没想到她就坐在我们前头，离得很近呀！你看你，偏要弄你的什么材料，错过了这么个机会——要命！她看上去顶多才三十多岁的模样！保养得真好！到底是搞艺术的啊！条件上得天独厚啊！……"

爸爸一边听着，一边继续弄他的材料，漫不经心地应着："是呀，她的生活条件一定是很好的啰，老演员嘛，也应该的……可年轻一代的演员，就难说啦，听说当年有个女演员来北京领百花奖，就只有一件布拉吉哩……"

妈妈不知为什么来了劲头，偏抬杠说："那是什么时候的事了？现在肯定二十件布拉吉也有了！玫瑰花到底是玫瑰花啊！我们玫玫，说什么也要让她走这条路！我看玫玫还是当个话剧演员吧！"

于是，她又开始张罗着让我练习朗诵。这时候我已经升入初中一年级了。说实在的，我不讨厌朗诵，尤其是朗诵诗歌。我很乐于在班上和学校礼堂里朗诵那些我喜爱的诗篇。妈妈也曾来听过，每当我朗诵完最后一句、响起掌声的时候，我朝她坐的地方瞥上一眼，便能发现她眼里闪动着泪光，并且能估计出她一定在喃喃地称赞说："要命！真要命！"……

正当我快升到初二的时候，有一天妈妈突然气喘吁吁地跑到教室外面来找我——当时我们正在上物理课，物理老师和同学们都以为我们家出了什么意外的事情——因为妈妈满脸通红，并且一副惊恐万状的神情。

物理老师允许我中途退出课堂，我随妈妈走到操场上，妈妈这才极其神秘地对我说："快准备吧——秦阿姨告诉我的消息，北京人艺要招小学员，只招两男两女，不打算公开招，只从内部推荐的里头选——咱们得抢在前头啊！……"

原来如此！

准备准备，去考考也好。可读完妈妈递给我的朗诵材料，我可就傻眼了——那是一篇小说：《话说陶然亭》。我跟妈妈说，我念不好……妈妈却斩钉截铁地说："你就朗诵这个！秦阿姨说了，北京人艺有北京人艺的戏路子，他们是演'郭、老、曹'（郭沫若、老舍、曹禺）作品起家的，招学员为的是接老演员的班；这篇《话说陶然亭》的味儿正合北京人艺的路子！写的虽是老头，但作者邓友梅是个阿姨，女作家能写出活老头来，女演员能朗诵出活灵活现的老头形象来，不正好见功夫吗？……"

于是我便带着这个节目应考去了。当我告诉主考的伯伯，我朗诵的是小说《话说陶然亭》时，他显然吃了一惊，他问我："你怎么选了这么一篇小说？"

我胸有成竹地回答说："因为这篇小说的风格同你们北京人艺的戏路子合拍。"

我的回答使他露出了一个赞赏的笑容，但他又问："这篇小说写的是三个老头子的事儿，你不觉得由你来念有点别扭吗？"

我早料到他会有这样的问题，便放开声量从容地回答说："作者邓友梅阿姨能写出来，我就能——"

可是我还没答完，考场上就响起了一片笑声……

我懊丧地退出了考场，妈妈迎上来，把一个大桔子递到我手中，充满信心地问："要命！真要命！我都听到了他们的笑声……你一定把小说的幽默感都传达出来了！最后他们究竟怎么说？……"

我简直要哭出声来了，我把桔子退还到妈妈手中，大声地告诉她："邓友梅根本不是个阿姨！他是个男的！"

打这以后妈妈对我开始变得烦躁起来。她给我买了这几年的全套《得奖小说选》，并且给我找来了不知多少种"新人新作"，她决心让我成为一个小说家。我尽管爱读这些小说，可对自己能不能成为小说家，实在是没有信心。每当我说到这一点时，她便气愤得至于浑身发抖，她会瞪着我说："你真让我伤心！你为什么不愿意艰苦奋斗，长成一株又高又大的玫瑰？难道你真愿意也到那马路边上卖菜，让人叫做'小土豆'吗？"

"小土豆"，就是我曾经跟她玩过拽包儿的李翠芬。她高中还没有毕业就到菜场"顶替"了她的妈妈，只要是晴天，她便同另一个姑娘出现在离我们家最近的街口上。她们推来一车蔬菜，支上车子，嘻嘻哈哈地卖着白菜、胡萝卜、芹菜、土豆、茄子……显然，她没有"艺术细胞"，更没有"艺术之魂"，对熟悉的人叫她"小土豆"也并不真正生气。有一回我去她们那儿买菜，提起几年前一块儿在筒子河边玩拽包儿的事，她仰着脖子笑了，笑完便专拣又大又光溜的土豆卖给我，一个胖乎乎的男人走过来问："这土豆许挑吗？"她甩着大嗓门告诉他："不许挑！"可她手里继续为我往秤盘上挑着大的……我望着这快活、爽朗而又有些粗鲁的同辈人，不知为什么，心里头直往上喷着羡慕，平时我总嫌她头发烫得鬈儿过细过多，工作服里露出的毛线衣颜色太艳，耳朵垂上夹的假宝石耳饰也显得太俗……可再怎么说，她总比我自在，她没有那么一种非让她成为玫瑰花不可的压力呀！

不知什么时候，妈妈又同秦阿姨一块跟我唠叨不算，还你一言我一语地数落爸爸：

"你还不着急！眼看玫玫就要考高中了，她一直攻艺术，学习成绩平常，怎么考得上重点高中？""难道让她也当'小土豆'去？总得给她找条好一点高一点的出路！""玫玫有艺术天才，总能在一定的艺术门类上脱颖而出！写小说最不受年龄限制，一支笔，一叠纸，只要有才能……""你别光点头，你也拿出点实际行动来，看看能找哪个作家指点指点！"……

爸爸在她们的推动下，最近也积极行动起来了，他居然辗转打听到了那个不是阿姨的邓友梅的地址，并且正在寻找一个既同他认识也同邓友梅认识的叔叔或阿姨，好让他或她带我去邓伯伯那儿"玩"。

"要命！真要命！"妈妈说这类字眼的时候，是表示她的赞赏和惊叹。真不知道她怎么会这样用词儿！

当妈妈又把一摞什么小说选和作家谈创作之类的书放到我书桌上时，当爸爸也变得同妈妈一样絮叨，来回来去地教导我该如何同作家邓友梅见面并获得他的好感时，我可是要以最正宗的含义来重复这样的字眼：

要命！真要命！

1982 年 3 月 22 日写于北京垂杨柳

奶嘴儿

借奶嘴儿。真是怪事。

没有！

宁檬撞上门，回身进到客厅，往长沙发上一躺。用劲过猛，长沙发竟滑动了一下。不奇怪，这是两用沙发，打开就是一张双人床，脚底下安的有轱辘的。

躺下正对着酒柜，酒柜里搁满了各种形状的酒瓶子，有空瓶，仅仅是为了好看仍旧搁在那里的，也有半空的、原封的，正当中是有纸盒装饰的两小瓶礼品"五粮液"，52°，专为出口造的，比内销的那种60°的爽口得多。酒柜的玻璃拉门这时勉强可以当一面镜子，宁檬用手对"镜"理着披肩的长发。据说欧美的姑娘们，以蓄留披肩发花费最昂，因为她们的头发原是天然带鬈儿的，需要到高级美容院，用一种"拉直机"将鬈儿一律拉直。宁檬比她们优越，她的一头黑发原本就是直的……

可索索竟然不知道这一点。直到结婚以后，宁檬才接二连三地发现索索原来并不如想象的那么博学多识。比如前两天宁檬提起来要买凉鞋，索索便说："买吧，咱们去问问楼下宗阿姨，她刚从上海出差回来，问问她现在那儿时兴什么样的……"

你说多可气！都什么年月了，索索眼光还只是对着上海！上海早就领导不了生活时尚的新潮流了！如今最时髦的都在广州，其实广州的时髦标准也就是香港的标准，不过香港毕竟又比不了外国啰！

宁檬虽说自己成家了，可一个星期至少有四天还是要回家——她不说"娘家"，爸爸妈妈他们那个家永远就是她的家。实际上这套单元也是爸爸他们单位分给爸爸的，因此这里只能算是那个家的一个分号。宁檬为什么那么喜欢回家？第一条原因是她懒得自己做饭，回到家可以任兴尽情玩、聊，到开饭时坐下来自然有饭吃。第二条是爸爸的客人多，往来都是些见过大世面的有相当名气的人。经常有人刚从国外访问回来就来看爸爸，宁檬见着总要问："您从哪国回来呀？"

人家要说是罗马尼亚、南斯拉夫，宁檬便觉无趣。人家要说是日本、菲律宾或澳大利亚之类，宁檬兴致也不高，还常问出这样的问题：

"您干吗去这些地方呢？干吗不去美国呀？"

这问题让人很难回答。宁檬其实也并不要人家回答。倘若人家说恰恰去过美国，她便兴致勃勃、喋喋不休地追问：

"您去纽约了吗？"

"去纽约您去百老汇了吗？"

"去百老汇您看……了吗？"

及至人家跟她说，有些东西我们是不许看的，她便大不以为然地反驳说："看看怕什么？了解了解情况嘛？"倘若偶尔碰上那么一个客人，他真的"不怕什么"而了解到了一些"情况"，并应宁檬之请，讲述了一番之后，宁檬又总是失望，她会叹口气说："美国没意思！要去还是去法国、意大利，那儿的博物馆才叫棒呢！"

她总是不满足，总有点愤愤不平。

无聊。索索也是，让他出差就出差，什么地方都肯去！他去的是哪儿？……商丘？为什么不去虎丘？苏州虎丘的剑池多有趣儿！还有拙政园，还有沧浪亭，还有狮子林……

今天本以为开个假条儿，能开开心，谁知外头又下起了雨，自然打把伞也就可以出去，坐车回家，不过这时候爸爸那里照例冷冷清清，见了我少不得要问："你怎么不上班？"你跟他来"现实主义"，说，"混了张假条歇一天"，他非叨唠得你兴致全无不成；你跟他来"浪漫主义"，歪嘴蹙眉地呻吟"不舒服"，他又非把你关心得精疲力竭不行……所以干脆晚饭前去，最省事儿。可现在干什么呢——奶嘴儿？怪事？向我来借奶嘴！隔壁这位喘吁吁的肥婆子应当知道我们并没有生孩子！我和索索现在不想有孩子！我尤其不能有孩子！瞧那些生过孩子的当年女同学们的腰，乖乖！我可不愿意马上就把自己的腰弄成那样，就整个身材而言，腰是最关键的部位，正如就五官而言眼睛最为关键一样。眼睛是灵魂的窗户，腰是灵魂的什么呢？是门吧……原来是隔壁的老太婆来敲门！我当是谁呢？开门前的一秒钟里，我脑子里飘过了一百种猜测，任谁也比她有趣！可偏偏是她……借奶嘴儿！她什么时候把孙儿孙女，要么就是外孙子外孙女，反正是那么一种还得用奶嘴儿喂食的小东西，弄到身边来了？搬进这单元一个来月了，没觉得她家有小东西啊！可真叫怪，就是领来了一个小东西，也该是"成套设备"一块儿"进口"啊，怎么会偏偏缺奶嘴儿这个"配件"？哼，奶嘴儿，小市民味儿！……

宁檬顺手从茶几上拿过一本文学杂志，刚翻两面就气恼地把那杂志掼到了地下。头一篇小说竟然是写马路边的修鞋匠的，修鞋匠是劳动人民，自然应当写，自然应当歌颂，可能是这么一种写法吗？瞧那形象，那心理刻画，那细节描写，纯粹是以小市民的眼光写小市民，恶心劲的！应当写新时代的新修鞋匠！他应当会用英语招呼有修养的顾客（故事中何妨出现一位来修鞋的外宾）："Mister！ Glad to have met you！"他的业余爱好或者是研究梵高的绘图，或者是撰写关于柏辽兹《幻想交响乐》的音乐论文，或者是与日本名导演黑泽明通信，探讨他那成名作《罗生门》结构上的得失……总之，他得是现代化的、脱俗的、高级的！可这位作者是怎么写的？那鞋匠还把带倒钩的锥子叫"引路猴儿"，还往手掌心里啐唾沫，好让锥子不打滑……刚见着芭蕾舞鞋时，他竟不知那是干什么穿的，土鳖！就是这么一个鞋匠，地道的小市民，作者却对他倾注了那么多的兴趣与感情！唉！

饿了。真有点饿。尽管厨房里有使用方便的煤气灶，宁檬还是不到迫不得已绝不做饭。当她和索索从大连旅行结婚回来，正式开始过"小日子"时她痛切地感觉到自己有堕入"小市民之流"的危险。当他们谈情说爱的时候，吃饭是一桩很高雅很有趣的事。常到的地方开头是"小莫"（莫斯科餐厅）和"老新"（新侨餐厅），后来是凤凰餐厅。"小莫"的红菜汤、"老新"的罐焖牛肉和凤凰的法式猪排最对他们口味，有时他们就到冷饮店"凑合一顿"——一罐酸奶，一碟奶油点心。要么就是回家吃"家常便饭"，"遇上什么就吃什么。"但似乎还没遇到过什么也没得吃的时候——实在没有热菜，妈妈总会让侯阿姨开两听罐头——茄汁鲱鱼、什锦烤麸之类总是有的。爸爸还总会拿出一瓶酒来，让她和索索"少喝一点儿"，饭后打开冰箱，总能找到一点草莓呀、枇杷呀、荔枝呀……最不济也还有苹果和梨。然而现在总不能天天回家吃饭，也不可能天天下饭馆，需得自己也做饭——宁檬头一回痛感自己的"堕落"，发现醋瓶子里没有醋了，谁去打？索索让她去，她让索索去，最后索索总算去了，可她又发现还缺味精、花椒和鲜葱……唉！小市民！就差早晨蓬头垢面地弯着腰拢火了——总算还有管道煤气！

　　饿。宁檬从长沙发上跳起来，从酒柜上取过饼干桶，抵在胸前打开了盖子——唉，怎么搞的？里头只有两块吃剩下的点心，干得都掰不动了！索索也真是的，你临出差前就该把饼干桶装满嘛！难道还得我自己提个篮子，颠颠儿地跑到食品店去买？更成小市民了！整天就是柴、米、油、盐、酱、醋、茶！不过……似乎我们也没有能力总把这饼干桶填满。要填满它，至少得两斤多饼干或点心，怎么也不能用那种小市民才吃的动物饼干或者土桃酥把它填满吧！至少得是桂香村的新鲜清蛋糕，最好是咸味的椰丝酥饼……可那一次就得三块来钱。爸爸家里大大小小有三个饼干桶，什么时候都装得满满的，在那儿谁也顾不上吃它！"先吃块点心垫一垫吧！"妈妈说这话时总充满了歉意，自己掀开盖子拿出点心来时也大体上总是撅着嘴儿……回家吃饭当然从来不用付钱，就是一次把家里的三个饼干桶吃空自然也不算一回事儿，但在自己这个小家庭里，要维系一个饱满的脱离了小市民味儿的饼干桶，可就不能不算计了——因为总懒得点火烧饭，所以这饼干桶远比爸爸家里的那三个空虚得快——可一算计，什么多少钱呀，用了多少还剩多少呀，不就更是十足的小市民了吗？那篇小说的作者就偏写修鞋匠用他那双摸过了几十双上百双鞋子的手，哆哆嗦嗦地数零票儿，够多恶心！难道我和索索也得月月算账、点钱？……这饼干桶几乎是空的！如果能把爸爸那里的饼干桶拿一个来就好了，可不知为什么，说不出什么道理，那样做似乎不行，你看，这世界上净是清规戒律，限制人，那样肯定不行！

宁檬把饼干桶掼回去，重新躺倒在长沙发上。她忽然觉得周围的家具、布置，都很不入眼——那原本是索索依她的意思，精心帮她采购、布置出来的，整个是橘红为主的暖调子，只以一幅蔚蓝色的窗帘，给全局渗进一种冷色，作为调剂。不知怎么的现在宁檬觉得这一切都不行，有一种说不出的小市民味儿！人家琼琼家上星期买了一整堂罗马尼亚家具，是从展览会现场直接运到家里的展览品，看着真叫雅致、高级！你看爸爸多误事儿！让他抽空给黄伯伯打个电话，要张展览会的购买登记券来，他硬是一拖再拖，"老朽！"有什么不好意思的？等他好意思起来，打电话的时候，人家展览会已经闭幕了！

宁檬躺在那儿，觉得整个世界对不住自己。那些"官僚们"就知道开马拉松会、搞特权。那些文学家们大都被"招安"了，你看他们写的那些东西还有多少锐气？还有满街满巷的小市民，不知道世界上存在过米开朗琪罗，听不懂柴柯夫斯基的《悲怆》，更不清楚上一届的奥斯卡金像奖给了哪部片子……庸俗！爸爸"老朽"，妈妈就更不堪，这套房子要不是我推动他们，他们还不好意思去要呢！索索也令人失望，原来一块儿在夜幕笼罩下散步，倚偎在他肩上，你一句我一句地背诵戴望舒的《雨巷》，他身上总散发出一股淡淡的香气，现在住到一个屋顶底下才弄明白，他以前那是每次要先淋浴，然后换上干净的衣服、洒上香水儿，才造出了那种效果，如今他早上醒来，眼角积着"眵目糊"，身上一股子酸腻腻的汗味儿，而且一起过日子的时候才发现，他后背上有两个怪难看的猴子，上头还长着硬毛儿，多吓人！还有就是这讨厌的邻居，这胖乎乎的老太婆，居然敲开门向我借奶嘴儿！不是借最新一期的《世界电影》，不是借世界名曲的录音带，甚至不是借起啤酒瓶盖子的开刀，而是借最俗不可耐的玩意儿——奶嘴儿！亏她想得出来！

　　笃笃笃笃。有人敲门。

　　这回总该是喜出望外的结局吧？人不能老败兴。也许是妈妈。她说不定给我送好吃的来了。有一回她不是给我和索索送来一满盒炸田鸡腿吗？也许是琼琼。她是不是又借到电影制片厂拍片子去了？哼，准又是部商业性影片，小市民趣味？不过有她来聊聊也好，再不就是楼下的宗阿姨，我向她借过香港的《中外影画》合订本，她亲自给送上楼来了吧……

　　"哟！"

　　"对不起……又是我……"

　　"您怎么回事儿？我当是谁呢，又是您！"

　　"对不起……我还是借奶嘴儿，奶嘴儿……"

　　"跟您说了我没有。我没什么奶嘴儿！"

　　"您有……您找找……"

　　"什么？我家有什么我还不知道？！……"

　　"是这么回事儿……您听我说，我们急着要用……外头下雨，我一时出不去……我看见过您的奶嘴儿……"

　　"准是您看花眼了！"

　　"是这么回事儿……您结婚那天，我凑巧看见您的一个朋友，给您带来的礼物，有一个奶瓶儿，那上头有个奶嘴儿……"

　　"什么？您的眼这么尖！您看见人家给我送的礼了？……"

　　"不是故意的，是凑巧，我刚开门出来，她正敲您这门……我就有了个印象……"

　　"您眼睛尖，记性也怪好的……对了，好像琼琼她们乱开玩笑，是拿了那么个小奶瓶子来……怪事，您偏记得！行，您进来吧，您等一等，我还得找一找……"

　　"还有吧？还好找吧？"

　　"不好找？早把它忘了！坏蛋！送这个来跟我瞎逗！小市民！恶心劲的！"

　　"您找找……求您找找……"

"一时找不着！要不您先回去吧，找着了我自然给您送去！"

"那……好吧，谢谢您，谢谢！"

"不用谢。谢什么劲儿？"

宁檬从壁橱里找到了那个小奶瓶，上头自然有个奶嘴儿。唉，十足的小市民味儿！快送给那太婆！谁要这个！琼琼你等着瞧吧，等你办事那天，我得给你来个更恶心的！

宁檬敲开隔壁的门以后，本打算把奶嘴儿递过去了事。不过在门开后的一瞥之中，她倏地仿佛窥见了另一个世界，所以，当那老太婆一边连连道谢，一边邀她进去坐坐时，她便不由自主地走了进去。

原来仅仅一墙之隔，这里便是另一番天地。简言之，这单元里整齐处极为整齐，而凌乱处又极为凌乱。整齐的是书。靠墙处——包括过道——几乎全是书架，书架上全是书，仔细看，除了书还有一摞摞的手稿，书架以外也还有一叠叠的书和报纸、手稿，所有的书报手稿几乎都规规矩矩地或立或卧在它应有的位置上，仿佛队列中和阵地上的士兵，光那外观就给人一种冲击力，使你不能不肃然起敬。凌乱的则是生活用品，桌上罗列着一些杯盘，里头有吃剩的咸菜、半个松花蛋、一些炒茄子丝，等等，地上则搁着些痰盂、便盆，以及不知是用来洗什么的大大小小好几个脸盆，椅子背上、横过房间的铁丝上，搭着些也不知是哪一季的衣服和或干或湿的毛巾——不是尿片，是毛巾——而最古怪的，是这单元里并没有什么婴儿，除了老太婆之外，只有一个老头儿——他显然是瘫痪了，倚着厚厚的被子摞，靠在床铺上。他身架子挺大，当年肯定是个胖子，说不定还是一条壮汉，他的脖子很粗，头很肥大，腮帮上的肉耷拉下来，头顶光可鉴人，但残余的几缕头发被很细心地梳理过，并铺在了秃顶之上。他眉毛又长又浓，像眼窝上趴着两只小刺猬。他眼睛倒还有神采，宁檬看他的时候，他也偏着头探究地注视着宁檬。看来这老人还能写字，他身前是一块三合板做成的活动桌面，他的右手提着一支老式的黑钢笔，正准备往夹在桌面上的稿纸上写什么……

老太婆得到宁檬送去的奶嘴儿,如获至宝。宁檬看见她正把一个长奶瓶上坏掉的奶嘴儿换掉,又用剪刀把刚得到的奶嘴儿上的孔剪大些,用开水烫过,装到那长奶瓶上。接着,老太婆便用那奶瓶儿去喂那老头儿。那情景真够……怎么形容呢?反正是难看。原来老头儿半边嘴也麻木了,只能用那还未麻木的半边嘴往里喂稀粥,喂的时候一只眼相应地痉挛,另一只眼却麻木地圆睁着,一张脸扯得像个鬼!

宁檬转过脸去,她感觉到屋子里弥漫着一股恶浊的气息。

老太婆刚一喂完饭,宁檬便赶紧告辞。老太婆送她到门口。她顺便问:"都这样了……干吗还写呢?"

老太婆以一种自豪的口吻说:"写了一辈子了,当中停了十年,现在只要有一口气,总还要写,把该写的都写出来!"

宁檬依然是顺口地问:"写的是什么?他叫什么名字啊?"

老太婆说了老头的名字,并说了他正撰写的那部著作的名字。

宁檬一震。这一震足以说明她的的确确不是无知无识的小市民。"真的?!"宁檬忍不住问,"您们怎么才分到这么小一套单元?"

老太婆面有怨色地说:"是呀!本来应该给我们两套挨着的——主要是为了放书。后来说一时不好安排,以后再补——可'以后'谁知道是什么时候?其实要光是住人,我们老两口这么两间一套单元足够了,问题是还要住书——现在我给他查书、查材料,好不方便啊……"

宁檬又不由得问:"您们没有孩子吗?他们不能来帮着照顾照顾吗?"

老太婆叹了口气:"原来老头子没瘫的时候,三天两头来,来了就聊天,聊完天就吃饭——那时候住一间屋,倒是间二十几平方米的大屋,平房,外带个小厨房,有个保姆给做饭……"

宁檬扬起眉毛问:"现在怎么倒不请保姆了呢?"

老太婆更加愁眉苦脸:"老头子一瘫,孩子们不常来了,来了就都说该请个保姆。谁说不该请呢?可原来的那个保姆不愿意伺候瘫子,另找人家了,至今我也没请到愿来干这个活的,有一个倒说是愿意,可她说要么只管老头儿不管做饭,要么只管做饭不管老头儿……您说我还请两个保姆吗?想开了,我一个人也行……这不,我们老两口还能凑合着过……"

宁檬一时不知说什么好。

"谢谢您了!"老太太仿佛很愿意多叨唠一阵,"多亏了您,要不,等我上街去买,要么打电话让孩子们给送来,指不定得耽搁多久——他这一天六顿饭我一点也不敢耽搁工夫,一顿耽搁,全得乱……"

屋里传来喘息声,老太婆忙转身去照顾,宁檬也便告别回到了自己的单元。

心里发闷。想用惯常的鄙夷小市民的办法求得心理平衡,竟再不生效。很难说刚才见到的是小市民。可"大市民"也不该是这个样儿!

屋里仿佛缺了点什么。其实什么也没有缺——至多不过少了个奶嘴儿,连那小奶瓶子都还在。

1982 年 6 月 25 日写于劲松中街

妈妈反复讲过的故事

1

那一年我十九岁，正上高三。是初春时节，眼看就要逼近清明了。我们的班主任彭老师有点着急。他从高一一起就当我们的班主任，每到清明节，他都要为我们组织一次以继承革命先烈遗志为主题的活动。高一时的清明节，他带领我们去给人民英雄纪念碑送了花圈，还在那里举行了新团员的入团宣誓。高二时的清明节，他带领我们去八宝山革命烈士公墓扫了墓，还请那里的工作人员给我们讲了几位先烈的事迹。到这高三时的清明节，他想换一种活动方式，本来联系好了一次参观，好像是参观某一位革命先烈的故居，可是事到临头，人家却打电话告诉他，那故居又暂不开放了。于是他便发动群众，让我们都来想办法。我这才去告诉他：我从小就常听妈妈讲，她年轻的时候，曾经在一位革命先烈家里住过，也许她那个关于革命先烈的真实故事，适合于在清明节同大家讲讲？我妈妈是一个普通群众，那一年她刚刚从银行退休，我们的班主任彭老师对一个非党的退休出纳自然并没有多大兴趣，然而与我妈妈有关系的那位革命先烈的名字，对他来说实在是如雷贯耳。的确，那是我们党最早的卓越人物之一，在革命历史博物馆里，你可以看到他的照片和遗物，在许多种革命回忆录中，你都可以找到由知名人物撰写的关于他的文章，甚至有的电影和戏剧里，还以他为模特儿，塑造出了闪烁着耀眼光芒的英雄形象。于是彭老师决定把我妈妈请到学校，讲一讲她亲见亲闻的先烈事迹。以这样一次班会来度过清明节，当然还算是切题的。

就这样，妈妈来班上讲了她那个故事。

2

后来妈妈曾埋怨过我，说我不该让她那么到大庭广众中去讲这段事情。我总是这样来为自己辩解并恳求她原谅：那时候我实在年轻，再说，无论她还是我，在这件事上都是动机纯洁、言论诚实的。

妈妈没有什么口才，她所讲的事情也只不过是那位先烈轰轰烈烈、光彩夺目的一生中的极微小的一个侧面，但我记得那回的班会上，同学们却都能聚精会神乃至津津有味地听下去。我想这主要是两个因素决定的。一、讲故事的是同班同学的母亲，这能满足少年人的一种特殊心理。二、讲的事情同他们以前听到过的种种先烈事迹并不雷同。

在我来说，早已不知听妈妈讲过了多少遍，所以毫不感觉新鲜，而且，我觉得她那回比以往任何一回都讲得差，因为她毕竟没有在这种场合讲话的水平和经验。

不过妈妈讲这段事情有一个始终不变的优点：她总是质朴地一路讲下去，既不夸张，也不渲染，无论她讲多少次，总没有什么添加或更易的地方。

她总是先从她自己讲起。那是 20 年代初的一个寒冬。她住在西单缸瓦市的一个四合院里。她为什么住在那儿？这得稍微费点唇舌。她是那家人的童养媳。她的父亲和那家的家长，原来都在外省，都是清末最后一茬的举人，他们在没有结婚的时候，有一回在酒馆喝了酒，然后趁着酒兴，跑到县城的城墙上遛弯儿，对着月亮，便立下誓言：将来婚后如有了后代，都是儿子或都是女儿便结拜为兄弟姐妹，若一方是儿子另一方是女儿，便结为夫妻。这大约指的是头一胎吧，如果后来双方子女都很多，难道都要结为夫妻吗？不知道他们是怎么想的。然而他们都很认真。中国人往往对极粗糙极不严密的誓约恪守不移，这便是小小一例——当然，这类即兴评语在妈妈讲她的故事时是没有的，这部分版权完全属于我，我比较乐于用自己的这种转述方式来介绍妈妈的故事。好，接着讲下去：后来，两个举人的一个，到北京来当京官了，于是他不但带走了自己全家，也带走了我的妈妈。另一个举人，也就是我的姥爷，则留在省里，没几年，他也就去世了。妈妈随着那家人来北京时，不过才七岁，可是她那命定的丈夫，却刚四岁。到妈妈长到十六岁而她的未婚夫十三岁的时候，发生了一次重大的家庭变故，她的婆婆，即那位京官的原配夫人，去世了，不久便出现了一位后婆婆——于是到了故事发生的那一年的寒冬。那位京官已经不当官了，他到外地一个什么大学执教鞭去了，而那位十三岁的公子则住进一家教会学校再也不愿意回家。于是那位后婆婆变本加厉地对妈妈施行虐待。她让妈妈一个人住在一间原本当做储藏室用的小东屋里，不让妈妈生火取暖，却要求妈妈每天为她所生的公子缝制衣服，弄得妈妈不仅手上长满冻疮，而且脸上也长出了冻疮，她的屋里虽然挂的有一面镜子，然而她简直没有勇气去照。最恶毒的，是后婆婆故意把一口大缸搁在妈妈住屋的门外，让厨子每顿饭后把刷锅水倒在里面，这只泔水缸经常散发出一种难闻的秽气，每每经过一夜，上面一层泔水冻成冰了，秽气刚消，而新的热泔水又冲破了冰壳，把更浓烈的秽气送进小屋窗内。妈妈当时正当豆蔻年华，论起来也算有钱人家的候补女主人，然而她的实际境况，却形同一个女囚犯。

那口泔水缸在这个故事里很重要，妈妈每回讲到它，总流露出一种复杂的感情：她既恨它又感谢它，既不愿忆起它又总不免忆起它。有一天，她那在外地的公公的一位朋友，大约也是当时社会上不算不重要的一位人物，来进行礼节性拜访，在院里遇见了不成人样的妈妈，他眼里流露出惊异的神情，然而妈妈不敢同他谈话，赶紧返身躲进自己的小屋里去了。后婆婆在北屋客厅里接待了这位客人，没有多久，这位客人告辞走了。于是一场突发性灾难降临到了妈妈头上。后婆婆把妈妈叫到了客厅里，让她跪下，先是数落，后是倒操起鸡毛掸子，一阵抽打，除了历数她那并不存在的懒惰、放荡，主要是责问她为什么要故意出现在那位客人的眼前。妈妈咬紧牙关，一声也不哼，这种对抗方式当然胜过哭喊与争辩，使后婆婆气得浑身乱颤，最后宣布："打今儿个起没你的饭吃！你想活就自己舀泔水喝！"

妈妈回到小屋里，悲伤愤懑得竟流不下一行眼泪，她的心冻结成了一个冰团。她脑海中也飘过了逃走的念头，可往哪儿逃呢？在这个四合院里，她被一只恶狼欺凌，出了这个四合院，她很可能更要被一大群恶狼包围。于是她想到了死，然而她又不甘心就那么死去。因为她的死，正是那后婆婆求之不得的。她至少得让自己的死能起点报复作用，如果还起不到这样的作用，那就干脆活着。她坚持活着，这倒很可能是对那后婆婆最沉重的打击。这样想来想去，她就又打消了自杀的念头。不知不觉地她倒在小屋的床上已经两整天了，后婆婆果然不给她饭吃，也没有好心的厨子往她屋里递吃的，她既然想坚持活下去，只好挣扎着起来，去舀那泔水缸里的泔水喝。

她记得那是一个灰蒙蒙的中午，天上欲雪未雪，她手里拿着一只碗，扶着门框和窗台，总算接近了那只泔水缸。缸里的泔水一半冻着一半汪着。正当她低头用碗舀泔水时，她惊讶地发现，在汪着的泔水中，有一封撕成两半的信，于是她本能地把碗搁到了窗台上，从缸里拾起了那封信来。

她回到屋里去看那封信。信是连着信封撕成两半的，并没有撕成碎片，因此很容易拼读。信封上写着她的名字。一字不错，那确实是写给她一个人的。这还是她头一回收到一封给她个人的信。在后婆婆出现以前，她的公婆对她还算好，是出钱让她念完了高小的，因此她当然能够读信。然而她却从未写过信和收到过信。她那远在家乡的父母只同亲家通信，信中顺便问及她的情况，亲家在回信时则顺便告知她一切尚好。

那封从泔水缸里捡到的信，却确凿是寄给她的，称她为女士。信笺只有一张，是一种结实的毛边纸，上面用遒劲的行书，写着这样的意思：得知你处境维艰，深表同情。我是你父亲幼时的同窗，现住某街某胡同某号。你可来我家暂住，共商一条光明的出路。信尾便是那位后来彪炳史册的先烈的签名。

妈妈把那封信铺在炕上，读了又读，那张本已被泔水浸污的信笺，又被她的热泪浸染了一遍。她每回在家里讲到这个地方，眼里也总要涌出泪水，她对我们五个子女——包括现在已年过五十的大姐，不止一次地强调过："是他，救活了我这一条命。救活了我，也才有你们。"这当然是事实，也是真理。

妈妈在那个下午就离开了那个四合院，她什么也没有带，只带着那封信，找到了写信人的家。后婆婆是故意把那封信撕成两半扔进泔水缸里的。任何来信当然首先由她过目，她大约很感谢这封"天外来信"为她解决了一个难题，她既希望妈妈从速按这封信提供的办法行事，又用撕成两半扔进泔水缸的做法以示她的轻蔑和侮辱，如果撕得再碎些，妈妈无从拼读，从而并不出走，那么她还得添许多的麻烦，所以她只撕成两半。

据妈妈说，那位革命先烈的家，也是个四合院，打扫得比她永远离开的那个四合院干净利落，屋里的陈设，也很整洁雅致。她一进门，就听见人们高兴地说："果然来了！""这就好了！"于是她在客厅里见到了那位先烈和他的夫人。泪眼模糊中，她只觉得那位先烈个子中长，很和蔼的样子，当时她并不知道他是干什么的，既不知道他的公开身份，更不懂得他的政治信仰，只是由衷地感激。先烈显然很忙，他安慰了她一会儿，便匆匆地走了。是夫人亲自给她洗了澡、梳了头，并且给她长冻疮的地方——涂上了药膏，又陪她喝热粥，说是她饿了许久，一下子吃硬的不好。在夫人娓娓的谈话中，妈妈才知道，是那天那位去造访的客人，偶然向先烈提及她的处境的，先烈和夫人听到以后，认真地商量了一番，便决定先写一封信给她，如果几天都没有回音，夫人便打算亲往她后婆婆处，据理力争，把她接过来。

妈妈在先烈家里住了半个月。先烈在这半个月里同妈妈接触并不多，回忆中，他同她比较详细的交谈，只有一次。那是一个雪花纷飞的下午，在先烈小小的书房里。妈妈记得，靠书案的地方，在高脚盆架上，搁着一盆梅花，那梅花的枝条被养成了几组 S 形，盛开着白里透青的花朵，飘出一阵阵沁人心脾的香气。先烈听她倾诉了身世，询问了她近些天在他家读书休养的情况，末后同她一起商量：今后怎么办？妈妈说打算找事做，自己养活自己，并且不受那"指腹为婚"的约束（其实那两个举人"指婚"的时候连"腹"都没有），做一个自由人。先烈听了很高兴，鼓励她说

"这就对了！这就对了！"先烈给她写了一封介绍信，让她去 F 市找他的一位老友，说他可以帮助她成为小学教员，让她在那里去开辟新的生活。

后来，妈妈就带着先烈的那封介绍信，以及先烈给她的一点钱，并且还有先烈夫人亲自为她编结的一条驼色宽围巾，去 F 市了。在那里她当了多年小学教师，后来同我们的父亲结了婚，生儿育女，我是他们最小的一个。解放前他们来到了北京，继续教书。解放后妈妈从数学教员转为会计，又经过一次短期训练，吸收到人民银行当了出纳，直到她退休。

妈妈的故事就是这样的。确实十分平淡，所以我常常宁肯把她讲的叫做事情而不叫做故事。

然而那次班会总算效果还不错。同学们安安静静地听了下来，彭老师在汇报班主任工作成绩时关于清明节活动一项也有了着落，并且，在不久以后，彭老师指定我当了小组长。当时我们班的团支部书记，是一位党组书记的女儿，而班长则是一位副局长的儿子，其他小干部，其职务也大体上与家长的地位成正比。因此，我隐约觉得，我的被任命为小组长，是和我妈妈那平淡无奇的个人历史轨迹，曾偶然与一位革命先烈那江河浩荡般的历史轨迹相交叉有关。

这以后，有一回彭老师很严肃地问过我："你妈妈怎么不是党员呢？"

我不知该怎么回答。我纳闷了很久，为什么他问这个问题时会是那么一种口气？

3

没有想到，几个星期以后，正当我们忙于温书准备考大学的时候，一位出版社的编辑同志找到了我家。这位编辑同志其实不是外人，是我同班同学邝晓雯的妈妈，邝晓雯是她妈妈最大的一个女儿，所以她妈妈来到我家，同我妈妈坐到一处的时候，两人显然属于两茬人，我妈妈当时头发已经斑白，而邝编辑却仍是一头浓密油黑的鬈发。

邝编辑谈吐堪称言简意赅。后来我才懂得，仅从两个细节上，就可以判定她是一位老编辑。一是她的坐姿。她总是只坐椅子的一半，谈话的过程中，背总挺得直直的，不去倚着椅背，这对比她尊贵的人，自然是表示敬重，而对同她地位相等或稍微偏下的人，又表示着她随时准备着谈完就走。二是她几乎从来不喝人家给她倒的茶水，尽管她也从不拒绝别人给她沏来热茶。

那天来到我家，她便那样坐在我家的旧沙发上，斜对着妈妈，微微点头表示感谢我递上热茶后，便和颜悦色地说明来意："我从邝晓雯那儿，听说您从前跟……（她说出了那位先烈的名字）有过直接的接触。我们出版社正准备出有关革命烈士的生平事迹的回忆录文集。我是来向您约稿的。当然最好是您亲自动笔写。如果有困难，也可以由您口述，由亲友记录整理成篇。希望您从事这项工作的时候，尽量把重点放到对他的革命活动和光辉思想的追忆上，力求具体、准确、形象、生动……"

妈妈没有想到，她那对家里人讲了又讲的故事，原来还有着史料的价值，当然很兴奋。她决定自己亲自写回忆录，因为她觉得我们都很忙，而她正好退休无事。她大约写了整整一个月，在一个晚上，大家都在场的情况下，由我代她念了一遍，全家的感觉都很好，我第一次了解到妈妈的笔力，我以为她把材料剪裁得很得体，不像以往同我们讲述那样，以她的命运为线索，而是反过来，先讲那位先烈的情况（这些情况当然是从已有的文章中摘录出来的），然后以自己的遭遇来提供一例，说明他当时在为革命奔忙的间隙中，还不忘帮助一个几乎被旧社会害死的弱女子。我以为妈妈的文笔也是很好的，对于那口泔水缸，以及那盆梅花的描绘，都相当生动。那位先烈鼓励她独立自主时，连连说："这就对了！这就对了！"口气也记录得颇为肖妙。于是，妈妈的稿子便由我工楷誊抄了一遍，寄往出版社了。

当我参加完高考，等待发榜的期间，邝编辑又到我家来了。她依然斜坐在沙发上，脊背挺得直直的，我照例给她沏上热茶，她照例点头表示感谢，并照例不喝。她委婉而明确地告诉妈妈：稿子他们看过了，但目前这个样子还不能发表。主要的问题是没有写出革命先烈的思想和行为的高度。她提出了一些具体的问题，妈妈当场作了回答，我一旁听着，记住了这样一些内容：

问:"先烈给你的那封亲笔信,没有保留着吗?"

答:"本来保留着。后来因为几次搬家,不慎丢失了。"

问:"那封信里,除了你已经写进稿子的内容以外,还有没有什么重要的话?比如,启发你投向革命的话?"

答:"就我写出的那些,没有那样的话。"

问:"先烈同你的父亲,以及你当时的公公,究竟是怎样的关系?"

答:"他们早年在一个私塾里念过书,后来在一个洋学堂里同过两年学。也就是一般的同乡和同窗。"

问:"他为什么会在那样一种情况下,也就是投身于无产阶级革命事业以后,仅凭一位朋友提供的情况,就给你写那样的信,接你去他家呢?"

答:"这……我以为他是出于正义感,出于同情……"

问:"那仅仅是资产阶级民主主义者的思想境界。我们希望能找到这样的言论或细节,说明他是出于无产阶级的阶级感情和党性原则……"

答:"……我不太懂……"

问:"那位把你的情况告诉他的朋友,是怎样的一个人,你了解吗?"

答:"我后来了解到,他仅仅是先烈的一个私人朋友。这个人在先烈牺牲以后,当了国民党的官,全国解放以后,听说他跑到台湾去了。"

问:"你看,这样问题就复杂了。你没有记错吧?也许,那是另外一个人?而把你的情况告诉先烈的,是一位党内的同志?"

答:"我没有记错。这个人我怎么会记错?不管他后来怎么样,当时他可是帮助了我……"

问:"在先烈家里的半个月,他系统地向你推荐了哪些革命书刊?"

答:"他挺忙。他没有系统地向我推荐什么书。他只是让我自己到他书房里拿书看,他对我说,除了他锁着的书,只要是拿得到的,我愿意读哪本就读哪本。"

问:"你回忆一下,他是否特别向你推荐了《新青年》?"

答："他有《新青年》，我自己读过一部分。老实说，当时可不大懂。不过，我记得他并没有特别指定我读什么。他的书架上也有《现代评论》，也有《甲寅》，反正当时主要的报刊他似乎都有。"

问："烈士夫人也没有向你推荐过什么吗？"

答："她让我看了一本林纾译的《花心蝶梦录》。也谈不到是特别推荐，因为那本书趁巧搁在了针线笸箩里，我翻出来了，她就对我说：'看过吗？你无妨看看。'我就看了。后来我才知道，那实际上是普希金的《上尉的女儿》。"

问："那天烈士跟你长谈，没有向你介绍一点马克思主义的基本常识吗？"

答："我记得没有那样的内容。"

问："一点也没有谈到苏俄？没有谈到列宁？没有谈到劳工神圣？"

答："我不是不记得，而是记得很清楚，他没有跟我谈这些。我想他要是跟我谈这些，我当时是很难理解的。"

问："那么他送走你的时候，没有对你讲什么重要的话吗？没有送你什么纪念品吗？"

答："他对我讲了重要的话，我已经写在文章里了呀。他对我说：'你首先要自立，要做一个强者。'他就是这么讲的。他没有送我什么特别的纪念品，他夫人送了我一条长围巾，我用了差不多十年，后来拆了给孩子织成毛衣了，再后来烂掉，没有了。"

问："他介绍你去找的 F 城的那位先生，究竟是怎么个人呢？"

答："是一位党的同情者，但始终不是党员。他抗日战争的时候就病故了。"

问："先烈 1927 年在上海牺牲以后，你没有受到过株连吗？"

答："没有。因为国民党并不知道我与他的关系。"

问："解放后，先烈夫人还活着，她 1953 年才去世。你同她没有取得联系吗？"

答："没有。我一直对先烈和她怀着热爱的感情。可是我觉得没有必要写信去打扰她。党把大家都解放了，这里面也有先烈和她的作用，我把对他们的热爱，跟对党的热爱合在一起了。"

谈话进行到这里，大体上也就结束了。临告辞的时候，邝编辑告诉妈妈："您写的这篇文章，看来意义不够重大，也很难补进什么内容，我们再研究一下吧……如果一时用不上，是否可以给我们留下当做参考资料？"

妈妈笑了："那怎么不可以？你们参考吧。这些事在他来说确实不过是大河里的小浪花儿，可对我来说，这可是能活过来的一个大转机啊！"

邝编辑走了。她那杯没有喝过的茶，后来让我给喝了。

4

高考发榜了。我考上了师范学院中文系。人们都说中文系的学生最重要的还不是听课，而是到图书馆去博览群书。我是这一信条的忠实实践者。我一天至少有五个小时泡在图书馆里。凡社会科学性质的杂志，我几乎尽数浏览。有一天我无意中在外省的一本杂志上，读到了一篇关于那位先烈的长篇介绍文章，其中有一段完整的文字，令我惊异无比，就仿佛猛然看见一位熟识的朋友，穿着绝对想象不到的奇装异服，并且扮着鬼脸，站到了自己面前。

那一段文字告诉读者：在 20 年代初期的一个寒冬，阴风怒号，雪片乱飞，一个被阔主人迫害的丫头，几乎丧失了继续生存下去的勇气，正在这关键时刻，她的阶级兄弟，同受阔主人剥削的厨子，给她带来一个信息：革命先烈关怀着她的命运，让她趁风雪之夜逃出去，投奔革命。于是她勇敢地逃了出去，逃到了革命先烈家中。革命先烈的夫人给她洗澡、换衣、治伤，并每天教她识字，革命先烈则每晚给她讲列宁领导的俄国十月革命是怎么回事，启发她的阶级觉悟，渐渐地，她读《新青年》，读《共产党宣言》，眼睛亮了，心里明了，当革命先烈和同志们在家里以打麻将作掩护，开会分析革命形势和革命前途时，她就坐到门口去纳鞋底，实际上是放哨站岗，有一回她给革命先烈送完一封重要的信件，回来复命时，革命先烈留她在书房里，系统地向她阐述了革命的人生观，当时书房里一盆红梅已盛开，先烈指着那怒放的红梅激励她说："革命者要如同这红梅一般，为了解放全世界受苦受难的劳苦大众，敢于斗霜雪、抗寒风，牺牲自己，迎向春天！"……后来，据文章作者笼统地介绍说，这位昔日的丫头，在先烈的教诲下，终于成为了一个坚强的革命者。

我也曾这样考虑过：先烈除了救过妈妈，或许还救过这样一位丫头，甚而还搭救过更多需要援救的人。可是当我夜晚在宿舍中的双人铺上辗转反侧时，我越琢磨越不是滋味。那篇文章的作者，似乎是读到过妈妈那篇未刊稿的人，因为他叙述有关丫头遭遇的文字，在结构上与妈妈记述自己遭遇的文字同出一辙，难道他真是……可这是不能允许的啊！他写的不是小说，而是一种传记材料，并且公开发表了出来！

我很痛苦了一阵。起先我想把这件事告诉妈妈，后来我忍住了。一个星期日，我到大华电影院看电影，在门口凑巧遇上了邝晓雯，她当时是外语学院的学生，戴着顶雪白的旅行帽，咬着一根雪糕，她看到我很高兴，主动地招呼我，我却装作既没有看见她也没有听见她的声音，一头钻进电影院里去了。事后我也没有后悔，我以为这样能间接地向她妈妈传递一个抗议。

5

几年以后，我才知道我完全抗议错了。

那时候我已经从师范学院毕业，在一所中学里当语文教师。大约是 1968 年的秋天吧，"文化大革命"运动正如火如荼地开展着。突然有一天邝编辑和一个年轻人来到了我家。

邝编辑的头发也开始花白了，她显得很瘦削，但她的坐姿仍然不改，她斜坐在木椅上，脊背挺得直直的，绝不去倚靠那椅背。她把那位年轻人介绍给了妈妈和我，称他为"白队长"。其实白队长并不是生人，妈妈和我都认识他。他原来就住在我们附近，跟我是同一届的高中毕业生。他考上了地质学院的勘探专业，可是只去上了一年，就退学了。谁都知道他退学是害怕毕业以后的勘探工作太苦，他要自己在北京城找个工作。后来他终于找到了，是在一空无线电器材厂当工人。他每天的工作就是往上一道工序制成的某种元件上点漆，说实在的，其体力劳动的程度，比我们站讲台的教师轻微多了。可是他那样一个不服从国家分配的人，却成了工人阶级，并且因为运动一开始就敢于造反，更成为了无产阶级先锋分子；我呢，并不是我自己存心脱离无产阶级，是服从国家分配，来当教师的，却成为了资产阶级知识分子。这个问题直到现在我也没有想通。既然只有工农兵才光荣，才是革命的主力军，是一切行业服务的对象，我们的党和国家，又为什么要一批又一批地把年轻人分配去当知识分子呢？

邝编辑对白队长，充满了真诚的敬畏，她介绍完他那工宣队队长的神圣职衔，便紧闭上嘴，脸上没有任何表情，两眼径直盯着她那照例不喝的热茶，等着白队长开始这场不同寻常的谈话。

白队长戴着一顶国防绿军帽，上头别着一枚亮闪闪的毛主席像章，他舒适地靠坐在我家的旧沙发中，先呷了几口我沏给他的热茶，才清清喉咙，威严地说："今天来你们这儿，还不算正式的外调，只是来打个招呼……"然后他以极其仇恨和蔑视的声调，叫出了那位先烈的名字，宣布说，现已查明，他是个叛徒，他早在党成立的初期，就同毛主席的无产阶级革命路线作对。而"旧出版社"竟然为这种人树碑立传！他说妈妈所写的那份材料，现在已转送有关的专案组，那份材料虽然是为吹捧叛徒而写的，却也"露出了狐狸尾巴"——充分说明那个人"从来不是无产阶级革命者，至多不过是个资产阶级民主主义者。这也就是在革命斗争的关键时刻，他之所以背叛革命的根本原因——世界观根本没有得到改造！"

妈妈忍不住问："可他 1927 年不是被国民党杀害的吗？"

白队长冷笑着说："你以为当了叛徒，国民党就不杀吗？瞿秋白怎么样？写了《多余的话》，国民党也还是把他宰了！"

妈妈尽量克制着内心翻涌上来的激动，嘴角抽动了几下，低声地问："有什么证据，说明他叛变了呢？"

白队长把脸一沉："当然有证据。到时候就公布。现在是给你交代政策：你仔细回忆一下，把你所闻所见的有关他违背马列主义、毛泽东思想的一言一行，一举一动，都回忆出来，写成材料，交给我们。"

妈妈起初沉默着，后来，白队长两眼利刃般逼视着她，在那种情况下坚持沉默是很困难的，妈妈不得不颤动着下巴，近乎哑声地说："我尽量回忆。"

直到这时候，邝编辑才把眼光从茶杯上移开，瞥了妈妈一眼，但她很快又把眼光转向别处了。

临走的时候，白队长让邝编辑把一本杂志给了妈妈，那正是刊有关于先烈拯救教育"丫头"事迹的那本刊物，白队长对妈妈说："写这里头那篇大毒草的人，曾经到出版社借你写的材料看过，他现在已经被当地的造反派揪出来了，为狗叛徒树碑立传没有什么好下场，你懂吗？这本刊物先留在你这儿，其中问题最大的地方我们都用红笔勾出来了，你要仔细考虑，过几天专案组的人来外调，你要老实交代！"

说完就走了。他们一走，妈妈就哭开了，那是一种无声的哭。她任凭大粒的泪珠连续不断地滚落下来，却咬紧嘴唇把声音咽回肚子里去。我不忍看，躲进了里屋。我愿人类能最终消除这种极端痛苦的哭法。

不久以后，白队长带着两个专案组的人来找妈妈了。那天我不在家，回到家里时，他们已经离开了，而妈妈仍双眼发直地坐在我家那弹簧已经下陷的破沙发上。当时我父亲已经去世，姐姐哥哥们都下了干校，就我和妈妈相依为命。我真怕妈妈被刺激出大症候来，所以当天我什么也没有问她。第二天她缓过点劲来，才细细地告诉我，专案组要她写两份材料，一份揭发先烈当时如何毒害她，如让她看《现代评论》、《甲寅》一类的反动刊物，诱导她走脱离革命斗争的个人奋斗道路，等等；第二份揭发先烈与她的反动父亲、反动公公，以及那个把她的情况传递过去的反动家伙的关系。我问妈妈："怎么办呢？"她嘴角边的皱纹抽动着，两眼炯炯地望着窗外的天空，沉静地说："我一个字也不能给他们写。他们再来，我就躺到床上去。我病得快死了，还能写什么材料？"

正当我为妈妈能否逃脱那个专案组纠缠而日夜担心的时候，有一天，我经过东四十字路口，听见卖小报的人在高声叫嚷，原来他那小报刊出了关于某某叛徒的"丑史"，我赶紧买下了一张。那是两三个单位的"革命造反派"联合编印的小报，头一版上就刊出了我所熟悉的先烈的头像，然而齐脖子画上了一个绳套，猛一看，我心上仿佛被扎了一刀，真想立即把那小报撕成碎片，可我还是忍不住要读那几乎占满三版的"丑史"，我是坐在东四十字路口西北角青海餐厅旁边，一家店铺门前的高台阶上读那"丑史"的。我很快便发现当中有这样一段文字，说是在 20 年代初期的一个寒冬，阴风怒号，雪片乱飞（既然风那么大，何以还能飘雪？不过，我记得另一篇文章也这么写过），真正的革命者正顶风冒雪与反动派进行着殊死斗争，但叛徒某某某却龟缩在自己舒适的小家庭里，津津乐道于养梅弹琴。当时有一位阔小姐，仅仅为逃避封建家庭的包办婚姻，来到了他家，他不顾党的秘密工作原则，竟把她长期留在家中；在这期间他不但不向她宣传革命的道理，反而大肆鼓吹反动透顶的资产阶级个人奋斗思想，有一天他居然指着书房里那盆蜡梅花，对那阔小姐说："红花白花，说到底不如这黄花。红色过于热烈，白色过于冷酷，都不如这蜡黄色凝重温暖。我希望你今后学一枝蜡梅，取中庸之道，得温和之乐。"这就充分暴露出他灵魂深处充满了反马克思列宁主义、反毛泽东思想的肮脏货色，无怪乎到了革命和反革命搏斗的紧要关头，他便堕落成了不耻于人类的狗屎堆……是可忍，孰不可忍？等等，等等。

读完了那篇"丑史"，我呆呆地坐在高台阶上，望着马路上来往的车辆，简直失去了思维的能力。我想象不出世界上还能找出比这更荒谬的事情。

拖着脚步回到家里，本想把这事瞒过去，谁知妈妈的眼睛像镖头一样，一下子就刨出了我心里埋着的东西，她干脆地问："什么事让你变成了这个模样？是不是他让报纸给公开点名了？"

我只好把那张小报递给了她。出乎我的意料，妈妈读完神态竟格外平静。她缓缓地取下老花眼镜，徐徐地说："原来他们已经代我造好假材料了……这就是他们的水平呀，那倒真用不着揪心了……"

这以后事态没有进一步发展。不知是什么因素在起作用，早在"四人帮"垮台以前，关于先烈是叛徒的说法就渐渐收敛乃至云散了。不过白队长在那以后依然在出版社趾高气扬地实行着"全面专政",粉碎"四人帮"的消息正式公布以后,那家出版社参加欢庆游行的队伍,还是由他引领着前进的呢。

6

1979年的春节,我们家是名副其实的大团圆。只可惜爸爸不在了,其余所有的人都聚到了妈妈的周围。妈妈、我们五个姐妹兄弟加上我们的孩子,一共是三代十二口。吃完团圆饭后,孙子辈的嚷着要奶奶(姥姥)讲故事,于是妈妈又讲起了那个关于先烈的故事,她讲得仍然那么质朴,既不夸张,也不渲染,最后也并不归结到应当对烈士本人感恩戴德或其他什么训诫性的主题上。她只不过是讲了一个真实的故事。她自然又讲到了那口泔水缸、那盆盛开的白梅,以及先烈对她说"这就对了!这就对了!"的音容笑貌。她的故事引起了我们姐妹兄弟再一次的品味和思考,同时,显然给予了第三代很强烈的印象,他们当场提出了许多的问题,使我觉得意味深长的,是他们的这些问题中大部分都是我曾经听别人提起过的,当然,其动机和感情可能全然不同,然而角度竟全然一样……

不久以后,邝编辑再一次出现在我家,她从外表上看已经确乎是妈妈的同代人了,满头全是灰发,额上和眼角挂着明显的皱纹,她进屋后照例只坐一半沙发,脊背挺得直直的,对我递上热茶报之以点头微笑,但并不端起来喝。她讲起话来依然那么言简意赅:"我们要重新出版关于革命先烈的回忆录文集。您以前给我们写的那篇文章,运动里七弄八搞地弄丢了,希望您能再重写一遍。"

妈妈诚心诚意地问:"我跟他的接触,就那么一点点事情,意义恐怕确实不大吧?还值得写吗?"

邝编辑肯定地说:"值得的。我们要像珍惜故宫珍宝馆里那些珍宝一样,珍惜一切有关革命先烈的材料,哪怕是零星的、片段的材料。尤其是在今天。"

妈妈又问:"我还按当年的那种办法写,行吗?"

邝编辑点头:"行。"

这时候，坐在一旁的我突然插进去说："前几天，我刚从一本杂志上看见一篇介绍先烈事迹的文章，里面有一段，好像又提到了他收留妈妈这件事儿……"

邝编辑扬起眉毛问："真的吗？在什么杂志上？署的什么名字？"

妈妈也责怪地说："你怎么不早点告诉我？那里头是怎么写的？"

我便告诉她们："是从我们教研组一位同志手里看见的，他答应过两天把那杂志借给我……我记得文章的那一段好像是这样的：当年，有一个穷苦的女学生，为了反抗家庭的包办婚姻，逃到了先烈家中，寄住在那里。先烈不仅介绍她阅读了许多革命的、进步的社会科学书籍，还鼓励她多读一些自然科学方面的书籍，有一天下午，窗外雪花纷飞，窗内花盆里蜡梅盛开，先烈指着花问：'你知道这是什么花吗？'女学生回答说：'知道，这是梅花。'先烈笑了，他告诉女学生：'这是蜡梅。蜡梅和梅花是两种不同的植物，蜡梅属于蜡梅科，是落叶灌木，梅却属于蔷薇科，是落叶乔木……'女学生惊讶地说：'先生怎么连这种知识都如此精通？'先烈严肃地对她说：'我们革命者不但要善于破坏一个旧世界，还要善于建设一个新世界，建设新世界，尤其需要广博精深的知识，你应当从现在起，就努力地学习科学文化知识，将来……'"

妈妈听不下去了，她挥挥手说："简直是胡编乱造！怎么现在还有这种人，写这种文章？"

邝编辑便提高声调问我："真有这么一篇文章？已经登出来了？"

我便坦白："还没有。不过，我真担心会出现这样的文章。"

妈妈望着我，不以为然地连连摇头。

邝编辑是什么反应呢？她的表情，使我大吃一惊。只听她对妈妈说："编完您这篇文章，我也该退休了。我想这应该成为我几十年编辑生涯中，最问心无愧的一次编辑工作。"说完她便朝后一靠，倚在了沙发靠背上，并且端起我给她沏的那杯茶，从容地呷了一口。

1982 年 2 月 10 日写毕于北京劲松中街

夜半雨停

雨下得很大，是那种并不伴随着闪电雷霆，也不挟带冰雹的雨。这种雨固执地保持着一种均匀的倾泻量，它那哗哗的声音毫不间歇，因而听去仿佛窗外有一条涨水的河在奔流。

景伊慕坐在落地灯光圈内，头倚在沙发靠背上，听着窗外的雨声，心里浮上一种异样的感觉。那感觉就仿佛他小的时候，随着父母到远郊的公园游玩，而同父母走散了一样，虽然四周都是如画的美景，欢嬉的人群，他却顿觉六神无主，以至于惶恐得喉咙里发干，心怦怦地跳……

这样的感觉，这些天来也许一直潜藏在他的心底里吧，然而直到此时以前，却并没有翻涌上来过。这些天浮到上面来的，只是兴奋、向往，正跟他小时候切盼父母带他到远郊公园游玩的日期早日来临的心情相似。

对于他来说，这一切都突如其来，都富有最充分的戏剧性；然而对于他所在的工厂的其他人来说，像他遇上的这种情况以及他正采取的行动，实在没有什么稀奇。这类事近几年来人们已经司空见惯。

决定已经作出，手续已经办妥，行装也已收拾停当，所差的，仅止是机票到手了。

他的爱人，带着他们五岁的女儿回娘家去了。她去向娘家的人们汇报事态的最新进展。临走时她说："如果雨一直下个不停，我们今晚就在那边睡了。"现在雨正下个不停，那么，她们是不会回来的了。

他一个人坐在那里，被落地灯的光圈笼罩着，听着那连成一片的夜雨声，拼命压抑着心底翻涌上来的孤独感。

他此刻比任何时候都需要同熟人待在一起。他脑海里一个接一个地飘过熟人的面影，同时耳边恍惚响起了他们的话音，他的思绪便纠缠在那些面影和话音上。

"这下你可好了。"这是在技术科里跟他对面坐的老潘，露出一种不卑不亢的神态，用不温不火的慢悠悠的语调说出来的话。是呀，从一个每月只挣五十六元人民币的老技术员，变成一笔数目可观（那具体数目现在仍是个谜）的遗产继承人，从穷地方到富地方去，从刻板平淡的生活环境转换到充满声光色电的花花世界，以世俗的观点看来的确是"好了"。不能要求每一个人都成为报纸上宣传的模范人物，世俗的观点总会顽固地存在，有多少人能摆脱富裕、舒适生活的诱惑呢？

"你一站住脚，就把你老婆孩子接去吧？咳，你要能把我也'办'出去，那就盖帽了！"这是在食堂里，主动凑过来跟他聊天的小成，以一种满不在乎的口吻大声喊叫出来的话。的确，他一站住脚，就将竭尽全力把爱人和女儿"办"出去。然而他从未宣布过这点，并且也不希望别人点破，尽管这实在只是一种"公开的秘密"。他不愿同小成多聊。小成是那种留着满头长发、把劳动布工作裤改成小喇叭口裤的一级工，他们敢于在食堂公然说出一些出格的话，下了班在淋浴室里往往一边淋浴一边大声地唱着"迪斯科皇后"一类从录音带上学来的歌曲。景伊慕觉得很难使小成那样的"顶替分子"懂得自己：他毕竟是 1965 年的中专毕业生，并不像小成他们把那个社会想象得那么快乐有趣。他知道那里的生活节奏是快得难以适应的，而人际关系又十分复杂险恶，"金满箱，银满箱，转眼乞丐人皆谤"的世态更难以驾驭。在那里公认为高雅的，也绝非长头发、喇叭口裤和流行曲……然而他也并不像另一些人那样，把这种按合法手续投入那个社会的行为，看成是一种不爱国的表现，甚至视为一种犯罪……

"你什么时候走哇？"这是工会的方大姐微斜着眼珠，意味深长地微笑着在汽车站问他的话。他知道，方大姐就是那种把他看成仅止是羡慕那边的霓虹灯、夜总会、X级影片、海滨浴场一类事物的人。她完全不相信，他之所以决定去继承叔父的遗产，实在绝非是为了这些东西。他有着许多难言的苦衷，他渴望着建立一番真正的事业。所以他立即回答方大姐说："我是还要回来的啊！"这是千真万确的心里话，并且他同爱人深谈过，她最终也点头说："是呀，等这里一切都好起来以后，我们还是回来吧……"

然而爱人刚得到那消息时，竟呈现出一副他不曾见过的欣喜若狂的神态。她催他，并且干脆领着他去申请那应当申请的，询问那应当询问的，疏通那必须疏通的，办理那必须办理的事情。她的才干，竟得到一次最充分的显露，使他不禁暗暗吃惊。他也曾向她提及过：他要过多久才能站住脚，站住脚后又要过多久才能把她们母女"办"出去，都还很难预料，也许一晃就是三年五载……而她却冷静地说："在中国，三年五载算什么？我们不是结婚六年以后，才调到一块的吗？你爸爸不是被冤枉了二十多年，才平反的吗？你妈妈当年跟他不是分头在两个干校下放，一放下去就是七年吗？可怜他们刚过上两三年好日子，就伸腿闭眼了。我们反正还不算老，三年五年就三年五年，说不定，还能快一些呢……"

竟然没有人明确地来挽留他，这使他更加感到孤独。他闭上眼睛，脑海里飘换着更多的面影，那一双双目光，有的透露出羡慕，有的隐藏着嫉妒，有的闪现着猜疑，有的流泻着鄙夷，有的表现出淡漠，有的凝聚着思索……不过，党委副书记老肖那双目光呢？老肖和景伊慕的谈话是非常简短的，他那开始显得苍老的声音平静地问："你们那个革新项目，你走了，谁来替换你比较合适？"景伊慕提出了两三个名字，他听见自己的声音也觉得惊异，因为那语气是如此游移和含混。实际上，那个革新项目正处在关键时刻，因而他那一摊事情，无论换上什么三头六臂的人也难以迅速适应。"你认为你们这个项目，什么时候能够取得成果！"老肖的声音仍然十分平静、低沉。"困难重重！"景伊慕认真地回答说，"不仅是技术上的困难，体制上的弊病，奖金问题上跟车间的矛盾，十年动乱里形成的派性，知识水平的七上八下，房子问题，两地分居问题，头两年评薪留下的后遗症……反正，我们这个组简直就是全中国的缩影。想前进，可是腿沉，迈一小步都得使上拼命的劲……"老肖听到这里，只是把两眼一眯，"啊？"了一声，然而那锐利有如钻头的目光，却从被皱纹包围的眯起的眼眶中，格外闪亮地盯住了自己。老肖分明想再谈句什么，然而，也许是他知道景伊慕的主意已经拿定了吧，终于什么也没有说……可那目光，难道不是比话语含意更丰富、更有力吗？

窗外的雨声，变得更响了。寒气从窗缝里钻了进来。景伊慕从沙发上站起来，拉开了顶棚上的日光灯，屋子顿时大亮，照着那些显示他即将结束这里的生活去另辟人生战场的物件：地上那崭新的红色旅行箱、桌上那捆扎好的准备给风烛残年的叔父带去的药酒和补品，衣架上那专为出国而购置的大地牌风衣……一切都显得那么怪异，那么陌生。他现在能够找到谁来哪怕随便说点什么呢？

他看看五斗橱上的钟，已经九点二十八分。这样的雨夜，跑出楼去拜访任何一位熟人，都近乎荒诞。楼内呢？他们虽然搬来已有半年，然而大家并非一个单位的，平时也并不怎么来往。这回他要出国，通过爱人的透露，倒也传遍了全楼。因此每当他从六楼独间单元下去的时候，人们在与他寒暄之间，眼光里也都增添了一种礼貌，仿佛他是远方来的客人。当此雨夜，他们大约都在看电视或听音乐吧？谁家的门，他能够去敲呢？

忽然，他想到了住在三楼的莫总。莫总名叫莫永岑，是某设计院的副院长兼总工程师。这是一位孤独的老人。老伴去世了，两个儿子都在外地成了家，除了一位保姆白天来给他做饭、收拾屋子、洗衣服而外，他入夜总是一个人关在他那三间一套的单元房里。当此夜雨连绵之际，他一定备感孤单，一定不会拒绝另一位孤独者的造访。对了，景伊慕回忆起来，两个月前，他轮值收水电费时，敲开门进去，只见莫总客厅里的茶几上摊着满布黑白棋子的围棋盘，原来他一个人在那里对着棋谱复盘呢。当时，莫总还问他会不会下围棋，约他晚上有工夫时去下一盘。可那会儿他正为办出国手续日夜奔走，所以尽管嘴里答应了，却并未践约去下过一回。今晚倘去敲莫总的门，肯定会受到欢迎的吧？

主意已定，他便行动。他拉灭了灯，但接着又把灯拉亮。他就让灯那么亮着，出了自己的单元，锁上了门。在空荡的楼梯口，夜雨那匀速倾泻的音响更像江河奔流。想到不久以后他便会置身于一个完全陌生的环境中，那虽然对他有着真挚感情的叔父，对他来说其实也是一个生疏的人物，心里更其不安。叔父在他还没有出生时就飘洋过海到那边去了。当他懂事以后，由于众所周知的原因，他的父母对这位亲戚讳莫如深。直到1977年，叔父才回了一次国，大家见了一面。叔父同父亲抱头痛哭的场面，以及在陪同叔父游览名胜古迹的过程中，叔父从许多细致处表现出来的对他的赏识，都曾使他动心。然而那毕竟只是短短的一周，谈不到双方之间形成了多么深的感情。现在叔父面临着神秘的独身生活所造成的局面，出于一种汉民族固有的血缘观念，在他行将就木之前，召唤景伊慕速速去到他的身边，继承他的遗产和他的事业。……在那陌生的环境中，他将怎样同叔父相处、交流感情和思想呢？而且他又究竟同叔父有多少共同的感情和思想呢？他能很快地提高英语水平生存在那个社会吗？他能很快地熟悉那里的法律吗？他能很快地学会开小轿车吗？他能在已经快到三十五岁的情况下，从头开始生活吗？……这些问题他当然不是第一回向自己提出，并且在妻子的提示、补充乃至代答中，已经似乎有过极其圆满的答案。可是此刻，在楼梯上缓步往下迈时，他觉得心里是异乎寻常地空虚！

不知不觉地，他已来到了莫总的门前。仿佛要用那声音填补心灵的空虚，他用手指弯过重地连敲了三下门。

以下发生的情况，是那么奇突、那么迅捷、那么怪异，以至事后回忆起来，他还有一种类似恐怖的感觉。他听到一阵急促的脚步声，似乎还碰倒了什么东西。接着，门骤然打开了，莫总一只手握住门把手站在门里，灯光从他背后照过来，衬托着这位高瘦的老人宛然一个黑魆魆的剪影，唯有那双眼睛闪着一种古怪的光芒。莫总显然没有认出景伊慕来，仿佛把他当成了另一个人。景伊慕听见他用低沉暗哑的湖北口音说的一句极其古怪的话："二伯孃的油伞在我这儿！"

"莫总，是我呀！"景伊慕大声地招呼着。

"啊呀，是小景！"莫总好似从梦游状态中惊醒过来，"欢迎，欢迎。"他闪开身子，让景伊慕进了屋。

景伊慕进去时，看见莫总的客厅里也只亮着落地灯，大概刚才他也是一个人坐在灯下的沙发上，走了神。莫总拉开了顶棚上的吊灯，顿时客厅里灯火辉煌。他招呼景伊慕坐下，顺路扶起一个碰倒的圆凳。景伊慕环顾了一下，只见屋角的酒柜上摆着十八时彩色电视机，长沙发一侧放着立式电风扇，沙发对面摆着落地式收、录、唱三用机，更有一盆一米多高的橡皮树，栽在木桶里，安置在窗旁。以中国标准而论，这样的生活条件，算是相当高级的了。景伊慕不由闪过一个念头：倘若我家生活也能达到这种水平，我也许就不会走了……

莫总坐在落地灯下他原来的位子上，景伊慕坐在他侧面的长沙发上，一时间两人都没有说话。这时那窗外的雨声格外显著，哗哗哗哗……仿佛永远不会完结，就像生活本身一样，总是按自身的规律无情地流逝着。

"莫总，我……是来向您告别的。"景伊慕把双手放在膝盖之间，搓动着说，"我就要出国去了……我叔父来信让我去继承遗产。我不是图那个遗产，我是想借这个机会去国外深造一下，同时积累一些经营管理方面的经验……我不会作任何损害祖国利益的事。而且，将来咱们这儿情况好转些的时候，我还会回来的……"他刚把这些话说出口，立即便后悔了。他为什么要用这种解释口吻来告别呢？

可是莫总竟毫无反应。他仿佛并不欢迎景伊慕的来访。他从烟具盘上拿起刚才抽了一半的烟，继续抽着。感觉到景伊慕说话有了停顿，他才仿佛猛地意识到来了客人，于是他请景伊慕抽烟，那是国外进口的三五牌香烟。景伊慕取过一支点燃，心里想：今后每天要抽的怕也是这种烟吧？

"啊，小景你……要出国？你为什么要在这个时候出国呢？"莫总问着，神色和语气都有些心不在焉。

景伊慕于是把来龙去脉细说一遍。这回他不再用解释的口吻，而是近乎理直气壮。

说完了，他观察着莫总的反应。只见莫总理理身子后的织锦套圆垫，在沙发上靠得更紧，脸上的皱纹并无一丝抖动，极其平淡地"啊"了一声，表示他听明白了。

沉默。两人都自顾抽烟，好似在欣赏着窗外的雨声。雨声听来小了一些，但那哗哗哗的音调仍无分明的节奏。在静默之中，这夜雨声仿佛在诉说着某种深奥的哲理。

"啊，小景你……要出国了"，莫总似乎在竭力把自己从某种深沉的冥想中解脱出来，终于沉吟地说，"你要在这个时候出国，将来……等情况好起来了，再回来……"

景伊慕吐出一口烟，本能地绷紧了心上的弦，等着莫总往下说。他真怕听到那些大面上的老生常谈：资本主义国家如何贫富不均，有色人种如何饱受歧视，高速公路上的车祸，地下铁道中的抢劫，医药费之昂贵，性关系之紊乱……最后归结到"儿不嫌母丑，狗不嫌家贫"……他尤其怕那种心里头揣着"我有办法我也走"一类念头的人，仅止是为作出一种爱国的姿态，来念经似的讲这类话。难道莫总亦不能免俗吗？

然而莫总沉默着。窗外的雨声又升高了调子。忽然，他一下子转换话题说："……听，这雨，怎么那么巧，五十三年前的今天，在武汉，也是这样的雨……"

五十三年前！景伊慕没有去推算那是哪一年，他被这单纯而厚实的数字镇住了。他意识到坐在他斜对面的是一位经历了漫长人生道路的人。他端详着白发稀疏的老人，再环视舒适的客厅，不禁感到这样的人已经到达的停靠站（如果不说是终点的话），实在令人羡慕，他那通向这里的人生经验，必定是十分可贵的。景伊慕变得愈加恭谨起来，问："莫总，您想起往事来了？"

莫总脸上的皱纹开始抖动，推心置腹地说："小景，我心里有说不出来的痛苦！"

痛苦！一个生活得这样舒适、既有名望又有地位的人，心里有说不出来的痛苦！他还缺少什么呢？他曾在德国留学，得过两种博士学位，如今是政协委员、两三个学会和协会的理事、设计院的技术权威，近三十年来，头十七年和这后几年不断到国外进行考察、访问以及出席专业性会议，出国对他来说已没有什么吸引力；在物质生活方面，以中国的标准而论，可以说应有尽有……也许，他是……

"您是觉得孤独吧？"景伊慕小心地试探着。

"有一点。不过那并不是造成这痛苦的原因。老伴去世后的这两年，我是有点过不惯。但是儿子、媳妇、孙子、孙女们一出差，一放寒暑假，就来我这儿住，那还是很热闹的，那热闹也就足够了，因为毕竟我还要集中精神工作，我是喜静的……"

"也许……是那十年里头，对您的冲击太大了吧？"景伊慕问出这话，跟着就有点后悔，他不应当在这么个清冷的雨夜，来揭这样一位老人心上的伤疤。

"不，那不算什么，对我来说，尤其不算什么。"莫总轻轻地摇着头，断然否定说，"我痛苦，绝不是为那个。何况那一切不都已经彻底结束了吗？你看我这屋子你就明白，该补偿给我的一切都补偿了，现在我甚至比那十年以前还生活得更好……"

景伊慕哑然了。他再也猜不出这位老人陷入那深度痛苦的原因。也许，这不过是老年人的一种心理上的病态表现吧？

"有一些痛苦，是可以补偿的，"莫总眼睛望着窗外，仿佛在辨认那些依稀可见的雨鞭，自言自语地说，"而有的痛苦，是终生的，伴着你，时时咬着你的心，没有法子可以补偿……"

"那……是怎么一回事呢？您从前遭到过很大的不幸吗？"景伊慕忘记了自己心中的烦扰，充满好奇心地询问。

"那件事，前后大约只有五秒钟……"

"五秒钟！"景伊慕愈发好奇了。人的一生该拥有多少秒钟？五秒钟竟能造成一个人终生的、无法补偿的痛苦！

"是的，仅仅只有五秒钟……"莫总欠起身来，在烟具盘里捻灭烟蒂，取出一支新的香烟，却并不点燃。他保持着一种全身紧张的姿势，入了魔似的倾听着窗外的雨声，眼光穿过客厅外的过厅，朝过厅那边单元门的方向望去，用一种充满悔恨的低沉的语调讲述着："也是这个月日，也是漆黑的夜，也下着这种不知道什么时候才停的大雨。我也是一个人坐在那么一间屋子里，当然，不是这样的楼房，是瓦房，那种开了门板就能见到街道的铺面房……忽然有人敲门，敲了三下，就像刚才你来敲我的门一样。我过去拉开了门，看见一个人，像我当年那么年轻。他穿着一件深蓝的长袍，戴着一顶旧呢礼帽，手里拿着一把滴着雨水的柿油纸伞。那伞上的竹脊是橘红色的，我印象里很清楚。他身后朦胧的街灯光，正照在那斜拿着的雨伞上，是一种比较深的橘红色。他站在屋檐底下，望着我；我站在半开着的门里，望着他；我们就那么对望着，大约有两秒钟的光景……"

"他是谁？您不认识他吗？"

"我不认识他。但是我预感到他是为什么而来的。果然，他仿佛没有眨眼，一直那么炯炯地望着我。我听见他清清楚楚地说：'我的伞坏了。能替我换把伞吗？'……"

"他的伞坏了？换伞？"

"我望着他，呆呆地望着他。他身后是被朦胧的路灯光照出的密密的雨丝，他的帽子和肩膀被打湿了，一些水滴从他的帽檐上朝下滚落……我心里翻涌着万千思绪，那些思绪在那个夜晚以前的日子里，已经把我的心快给撕碎了。我知道在一两秒钟里，我将决定我今后的一生，决定我将成为怎样的一个人。我心里头跳跃着那句回答：二伯孃的油伞在我这儿！二伯孃的油伞在我这儿！……可是那句回答终于没有涌出我的喉咙。我就那么望着他，他就那么望着我。雨声，朦胧的灯光，呢帽上滴落下的水珠，他那双睁得很大很大的电光般的眼睛……这一切就像昨天一样，永远刻在了我的心里……大约就那么又持续了两秒钟，我一声也没吭，就轻轻地掩上了门板。刚一掩上门，我就深刻地意识到我作出了什么事，可是，当我再拉开门时，他已经无影无踪了。门外只有夜雨，就像今天这样的雨，哗哗地下着，朦胧的路灯光底下，溅起一片白蒙蒙的雨脚……"

"他走了？"

"走了。再没有回来。我也再没有见到过他……你看。五秒钟，五秒钟啊！"莫总说到这里，把手里的烟一扔，双手抱着头，五官痛苦得仿佛要缩进脸上刀刻般的皱纹里去，猛地仰靠在沙发背上。景伊慕看到，他那青筋暴露的手背上，几块深色的老年斑在随着筋脉颤动。

　　景伊慕是个聪明人，他猜出了那是怎么一回事，然而他不明白，莫总有什么必要痛苦一辈子。难道他做了什么出卖别人的事？而倘若他真做过那样的事，他今天又怎能享有这一切呢？

　　莫总把手放了下来，取烟、点燃、猛吸了一口，又重重地喷出一口烟来，稍许平静些了。他仿佛猜中了景伊慕的思路，微微摇着头说："我此后并没做任何坏事，当然更没有出卖一切我所知道的同志和秘密。我只是从此脱离政治，跑到国外留学，一头扎进工程技术里去了。回国以后，我就把自己学到的本事，尽一切努力付诸实践。直到解放以后，许多年里，人们都以为我是一个典型的所谓高级知识分子、民主人士，只有组织上知道，在 20 年代我曾是个共产党员，度过极其轰轰烈烈的青年时代。在北京，在广州，在武汉，许多现代史上大书特书的历史事件，我不但是目击者，而且是参加者，甚至还是接近最核心的人物之一……在一两个现在还被许多文献纪录片选用的历史电影镜头里，在那青史垂名的先驱者的形象后面，我还能从一群人中认出我自己的身影来。当然，仅仅是我自己才能认出我来。我的确激昂过，奋争过，咆哮过，拼搏过……"

　　"后来，白色恐怖把您的勇气消磨了？"景伊慕放轻声音，试探地问。

　　"不！"莫总放大声音，急促地说，"不完全是那个因素。在那个年代，完全丧失了信念的胆小鬼，当然也有。可是我，我仍然认为共产主义的理想是崇高的，还是相信共产党代表着真理与正义。无论如何，我不能做伤害共产党的事……然而，情况是复杂的。我不仅目睹了国民党的虚伪和残暴，还看见了无耻的叛卖、愚昧的麻木、变本加厉的荒淫、小市民的庸俗、党内的严重分歧、关键时刻的意气用事……总之，现实生活中，似乎到处都是令人失望的阴暗，理想虽好，实践起来难乎其难。也许这就叫做动摇吧。于是，那个雨夜，当那个同代人根据党内当时约定的单线联系的方法来同我接头时，在五秒钟里，我就自动卸钩了……"

　　"后来国民党没有追究过您、迫害过您吗？"

　　"他们当然并没有放过我。我的共产党身份是秘密的，但是我的许多公开行动，足以证明我是怎样的一种人。他们是宁可错杀一千，也不放过一个的。我脱党以后，靠着家里的钱财，做到了能使鬼推磨，我很快就从武汉到了上海，从上海到了香港，又从那里到了德国，一直到抗日战争爆发前夕，才回到中国，到了重庆……在重庆也有国民党特务监视着我，但是后来他们一定弄清楚了，我真的跟共产党不沾边……"

"重庆的八路军办事处，地下党，就没有跟您联系过吗？"

"没有。自从那个雨夜，我没有按规定说出那句接头的话以后，党就没有再来找过我。党应该那么做。但是我知道，党也一直注视着我的一举一动，他们后来一定也弄清楚了，我确实没有同国民党发生任何关系，并且我总是尽一切可能，使自己的行动适应着党的统一战线政策。"

"那么，您又何必这么痛苦呢？解放后，党对您不是挺重视，挺信任吗？"

"的确。作为一个对国家有用的高级知识分子，一个在港澳台和海外科技界有影响的人士，党给了我最充分的任用和照顾。我也确实把自己的全副精力，用在了党领导的社会主义事业上。我和党的关系，三十多年来是和谐的。然而，我的心却背负着永恒的痛苦……"

"您应当想开一点。这并没有什么。也许，您按另一条生活道路走下去，或者早就牺牲在战场上了，或者竟在党内的路线斗争中，被'正确'地淘汰，以至于被冤屈死了……"景伊慕忍了一阵，没有忍住，还是说出了这样的话。

莫总缓慢而坚定地摇着头："不，你的想法，是不对的。后来，解放后多次清查我那一段历史，终于查出了那天夜里去找我接头的那个人，他本是来通知我到长沙去参加暴动的。这位同志，后来牺牲在长征的路上。他尽管那么早就死了，而且，他的名字今天甚至不如我响亮，然而，作为一个人，他坚持了自己的信念和信心，他与祖国、与人民共命运，有始有终。他坚信一定会实现的，果然实现了，而我一度怀疑能否实现的，却在我眼前一年年地实现着……他的名字，溶化在我们共和国的名字中，而我……小景啊，人生在世，所求为何？他死而无憾，我活着有愧。我怎么也去不掉心上的这块缒石，它要缒一辈子，永远让我痛苦，直到我离开这个世界！"

"难道就不能想个法了，活着就把那根拴住石头的绳子解开或者剪断吗？"

"能够的，"莫总靠回沙发背，两眼凝视着窗外茫茫的夜色，喑哑地说："办法也很简单，就是把自己不再当做一个真正的人，只当做一根饮食声色的肉柱。"说完，他便紧闭着嘴，沉默了，唯见嘴角的皱纹仍在微微颤动。

窗外的雨，不知道什么时候变小了，哗哗哗的声响已变成了沙沙沙，仿佛雨也从汹涌的情绪中，一变而为冷静的思考。

景伊慕呆呆地坐在那里，面对着沉默的老人，心里仿佛充塞着许多沉重的东西，消化不开。抽完手里的烟，他一瞥壁上的挂钟，过十一点了，于是站起来告辞。

莫总把他送到门边，仿佛终于从夜雨勾起的冥想中自拔了出来，脸上现出了蔼然的微笑，回想似的对他说："啊，小景你要出国了……你要在这个时候出国……你有空再来吧……"

景伊慕点点头，向莫总道了"再见"。莫总关上了门，响起了上锁的声音。景伊慕却仍旧痴痴地站在那单元的门外，没有挪步。

"你要在这个时候出国……你为什么要在这个时候出国呢？……"他耳边仿佛仍旧响着莫总低沉缓慢的声音。

景伊慕几乎是一步一停地登上了楼梯，回到了自己家里。

听不到雨的声音了。他走到阳台上去，朝四周看着。雨确乎停了。前面两座楼的窗户，只有几扇还是亮着的，因为遮着窗帘，活像惺忪的睡眠。他听见屋顶的积水顺泄水管流淌着，还有这里那里零碎的滴水声。天幕还是黑蒙蒙的，仅偏西的一隅，透露一片青灰，那里或许已经开始变晴。

景伊慕倚着阳台的门，双臂抱在胸前，久久地仰望着天空。莫总讲述的那五秒钟的情景，仿佛一盘放过又倒回重放的影片，一遍一遍地在他眼前复映着。不知为什么，到后来，当那扇铺面房的门板打开以后，他总觉得门外站着的，其实正是厂常委副书记老肖，他手里似乎也拿着一把柿油纸伞，那伞上的竹脊分明是橘红色的，一种比较深的橘红色，他也仿佛连眼睛都不眨，炯炯地望着他……两秒钟以后，老肖并没有说那上半句暗号，而仅仅是把两眼一眯，"啊"了一声，那锐利有如钻头的目光，从被皱纹包围的眯起的眼眶中，格外闪亮地盯住了自己……

　　景伊慕的心剧烈地悸动着。

1982 年春写于垂杨柳

老人纠察线

天边仿佛敲碎了一枚鸡蛋，在溢开的蛋清般的云彩中，露出了黄蒙蒙的蛋黄般的太阳。

路灯熄了。在这新居民区宽阔笔直的大街上，回响着早起跑步者的脚步声。大街两旁整齐的新楼上，有的阳台里站着练气功的慢性病患者，有的敞开的窗户里露出了刚洗漱完的鲜丽容颜……不同方位的收音机里飘出互相重叠的、朦胧的第一次新闻广播的声音，其间还融汇进了某些家庭的录音机放出的低音感特强的乐曲……

到七点半钟以后，太阳像煎得很嫩的浸足了油的蛋黄，从两栋十五层高的塔式楼当中冉冉升起。公共汽车开始不那么挤了，楼区的街道和空地上，渐渐只剩下一些老人。有的练完了太极剑，正把长剑收进布囊；有的到远处湖边遛完了黄鸟，此刻且不忙回楼，把鸟笼上的大铜钩挂在了服务楼外的铁栏杆上，心满意足地揉着自己的腿脚；有的则刚刚下楼，拄着拐杖，朝阳光渐浓的敞亮处踱去……

八点钟左右，太阳已经升得很高，灿灿然无法仰视了，于是一片明净的蓝天，衬出了一片整齐的楼房，笔直的马路穿过楼区，路边的小树舒展着枝叶，洒水车响着铃儿，缓缓地开了过来，一道彩虹，在喷出的水雾中闪动……这时连老人也大半回了楼，整个居民区处在最安谧的时刻。

谁也不会注意到，在这楼区的一隅，在离马路一箭之遥的楼间绿地附近，每到八点钟左右，便有四个老人，组成了一道纠察线，保护着那片宁静的绿地不受侵犯。

　　为首的是冯大爷。他是个退休的老钳工，身子壮实得像株柏树，宽脸盘上虽然布满了细琐的皱纹，但肤色黑中透红，显示着他超过同龄人的健壮。他总是站在从马路那儿分枝过来的甬道尽头、绿地的入口处。表面上看，他似乎是在那里微分双腿，甩手活动血脉，其实他天刚亮就出来练过拳，这时候不过是摆摆样子，他的眼睛只盯着从甬道上走过来的每一个人，透着严肃，而且还有些紧张。

　　一个扎着大红头巾、穿着大红蓝格子外套的农村姑娘，挽着一满篮鸡蛋，怯生生地朝冯大爷走来了。冯大爷近上几步，主动问她："姑娘，你来这儿找谁呀？"

　　姑娘掀开盖着鸡蛋的苫布，恳求地说："您买点吧，我卖得不贵……"

　　冯大爷两手把她往后扇，压低嗓门说"你该去自由市场卖，别到这儿卖……"

　　姑娘脸红了："我在那儿不成。我吆喝不过人家，我卖不动哩！"

　　冯大爷仿佛嫌她嗓门大了，瞪了她一眼，快刀斩乱麻地命令她说："你走吧！别吱声，向后转，开步走！"

　　姑娘觉着委屈，可她向后转，朝别处去了。

　　冯大爷望着姑娘的背影，叹了口气。

　　另一位参加纠察的是个细高身量的老人，附近的人都称他金先生，他是市政协的委员。传说他在清朝相当于皇侄的身份，他最大的特点就是讲礼节，下楼时遇见两个孩子在甬道上打羽毛球，他想穿过去，也总是要彬彬有礼地问："小朋友，停一下好吗？我要过去呢。"如果小朋友并不停下来，只是说："您过去吧，打不着您的！"他便满面为难——他胆子小，很怕被羽毛球碰着——继续客客气气地请求："小朋友，劳您们驾了，还是停一停吧……"小朋友停住，他走过去了，还要回过身来，笑容可掬地道谢说："让您二位受累啦！"常逗得小朋友哈哈大笑起来……

　　因为他太讲礼，所以有可能拦不住莽撞的人，冯大爷就让他在绿地的东北角守着，那儿很难有人走进来——因为那边除了另两座楼就是一道转墙。谁知这天偏来了个三十来岁的小伙子，提着旅行袋，满头汗珠。他刚下火车，来投奔住在冯大爷、金先生他们同楼的亲戚。头一回来，入了楼区就如同进了迷宫，他转来绕去，竟偏偏从那东北角倒着绕进来了。

金先生纠察多日，还是头一回真遇上了考验，他忙迎将上去，微微点头招呼说："同志，您来啦！您有什么事吗？"

小伙子甩开大嗓门："427 号楼在哪儿呀？"

金先生被他这大嗓门惊住了，不禁先回头朝绿地中某处一望，又扭回脸来，有点着急地小声劝他："您别急，您听我说，我这儿准备着为您服务呢……您找 427 号楼？这后头就是。您找哪一家呀？"

小伙子望着这位头发全白但梳理得异常整齐的文弱老人，既为他肯于指点高兴，又为他那古怪的神情纳闷。他依然是大嗓门地说："我找 4 单元 7 号张家。"

金先生忙答应着："有，有。您打大老远来的吧？您受累啦！张家是在 4 单元 7 号……"

小伙子问准了，便要迈步朝楼前走去，金先生扭头一望，慌了，结结巴巴地对小伙子说："您啦，您受累啦，您等等好吗？稍等一会儿就行啦……"

小伙子莫名其妙。为什么要等等？等谁？

参加纠察的另一位老人，是妇联的退休干部于大夫。于大夫并不真是大夫，但是她爱人是位有名的内科大夫，她也懂些医术，楼里的人常麻烦他们两口子义务看病，所以就把他俩都叫成大夫。于大夫胖，站不惯，所以她下楼的时候总提个小藤椅，每天早上八点到八点半，她参加纠察线的时候，便把小藤椅放在绿地西侧与另一排楼相通的甬道口一坐，手里麻利地织着毛衣，眼睛却闪闪地望着前面，注意着有没有人朝绿地走来。

她发现金先生那边出了问题，似乎招架不住，望望自己前面的甬道上一时没有什么人走来，便站起来把毛活往藤椅上一放，赶到金先生那边帮忙。

金先生还在劝小伙子"稍候"，小伙子实在不能理解，本来多走了冤枉路已经心里起急，走到了楼前却又被一位文弱老人截住，他满脸紫涨，拎起谈话时搁在地上的旅行袋，扇着肩膀就要往前闯。于大夫恰在这时赶到了他的面前，和颜悦色地对他说："同志，您别急，是这么回事儿，我们这儿有人得了重病，不能受惊，您先小点声儿——告诉我，您找谁……好，我带您去，您得答应我，别出声，别惊着病人……"

于大夫一下子就把小伙子的气平下来了，引着他穿过绿地，朝 427 楼 4 单元门走去。小伙子只当于大夫说的病人便是金先生，也便不再生气，他找人心切，也没有左顾右盼——倘若他稍微注意一下，原是可以发现，在绿地的冬青树篱之间，是有着很奇特的景象的。

另一位参加纠察线的老人，是个相貌很富态很威严的退休局长，大伙都管他叫老谢。他的位置是在 427 楼南侧通向小学校的甬道上。这时小学已经开始上课，所以他那里平静无事。他双手背在身后，在甬道上缓缓地踱着步子，欣赏着小学教室里传来的奶声奶气的齐诵声。一个推着自行车的游动磨剪子磨刀的农民，刚想把自带的一把破喇叭搁到嘴上，被老谢威严的目光一扫，便赶紧远去。

四位退休的老人组成一道纠察线，究竟是为了什么呢？

整个居民区是一派幸福安乐的景象，但是难免有个别的家庭产生着悲剧。427 楼 1 单元 1 楼 2 号的魏家，半年前就发生了一件大悲剧：小两口刚满一岁不久的儿子，一场急病夭折了！

这件事发生以后，全楼的人无不震惊。因为那孩子一直都很健康；也因为随着医疗卫生事业的发展和人民生活水平的提高，无论是城市还是农村，婴儿的死亡率都降到了令人麻痹的程度。可是这样的事竟偏偏落在了魏家头上。

魏家原来的四口人，顿时成了三口：在某机关办公室当干事的魏槐，他的媳妇——小学教师俞淑玲，他的母亲——一年前专为照顾孙儿从外地来儿子家的，427 楼的人们都称她为魏奶奶。魏家那一切悲痛难堪的场面都略过去不讲吧，全楼人们程度不等的慰问关心也都不必罗列，因为随着时间的推移，魏家小两口的哀痛逐渐在孕育新生命的努力中消融，而楼内绝大多数人对楼下这一家的不幸的系念，也逐渐在自我的喜怒哀乐中淡薄。只有魏奶奶，她对爱孙的夭折，随着时间的推移，却有着越来越强烈的心理反应。

那已经是婴儿夭折的两个多月以后，魏槐两口子为了平息内心的哀痛，同时更为了平抚魏奶奶内心的伤痕，扶着魏奶奶去逛了一次这楼区新开张的百货商场。他们尽量不去靠近卖育婴用品和儿童玩具的柜台，但他们的目光却又总禁不住朝那类地方闪去。魏槐在一瞥之中，发现玩具柜台里面的货架上，搁着一个没穿衣服的塑料大娃娃，几乎有真的婴儿大小。那大约是同类娃娃中卖剩下的一个，它的左右都是相同大小的毛茸茸的玩具狗熊，因此被衬托得非常突出。魏槐忍不住自言自语地说了一句："唉，真像咱们的小槐呀！"他说这句话的声音并不大，却使得一贯有点耳背的魏奶奶停止了挑选剪绒老太太帽，并朝他目光所示的方向望去，这一望，魏奶奶的眼光便直勾勾停在了那大塑料娃娃身上，嘴角的皱纹抽动起来，心里扑通扑通仿佛有两只小拳头在擂着……俞淑玲一看不妙，忙叫着"妈！"把两种黑剪绒老太太帽塞到她手里，引导她继续挑选帽子，当魏奶奶总算把目光收回、又挑选起帽子来以后，俞淑玲便狠狠地瞪了魏槐一眼，但在魏槐低下头去的时候，她却忍不住朝那大塑料娃娃下死眼盯了几秒钟……

小两口总算平平安安地把魏奶奶带回家中去了，大家不提小槐的事，当然也不再提那大塑料娃娃的事。大家动手，包饺子吃。

谁知第二天小两口上班以后，魏奶奶一个人去了商场，她径直走到卖儿童玩具的地方，买下了那个大塑料娃娃。回到家里，她把那大塑料娃娃搁到了壁橱里，也不跟儿子儿媳妇提起。这一天也便这么过去了。

过了一夜，第二天早上，小两口上班去了。八点来钟，魏奶奶推着个婴儿车，出现在427楼的绿地中。她的神情十分安详，步履缓慢而利落，就仿佛不曾有过什么婴儿夭折的事情发生过一样——在那婴儿车上，安放着那个魏槐指出"真像小槐"的大塑料娃娃！

八点钟以后，楼前绿地空荡荡的，所以魏奶奶的这一举动，除了细柳的长枝、冬青的肥叶……并没有别的生物看见。魏奶奶按那小槐在世时，她推他晒太阳的惯常路线，在绿地的甬道上慢慢地绕着。谁知正当她绕完两圈，推车回楼时，大约是八点二十分吧，突然有一个十来岁的男孩——不用说，是逃学的，并且是住在别的楼里的——闯入了这片绿地，他是追赶着一只奶黄色的粉蝶而来，那粉蝶偏从婴儿车上飞了过去，所以那男孩便自然而然地看到了那个被当做婴儿的大塑料娃娃，及至他看清推车的是位老奶奶，并且表情一本正经，便不由得拍着掌嘲笑起来："哟，老太太还玩娃娃，真逗人嘿！"

魏奶奶被这男孩突如其来的嘲笑声一惊，脸上顿时变了颜色，她把婴儿车稍稍一斜，仿佛是在预防某种可怕的袭击，这动作使那男孩更觉得开心，他不禁双脚齐蹦，更大声地嘲笑起来："哟！老太太还怕人家抢娃娃哩！"说着，竟大有把那塑料娃娃拿走，恶作剧一下的架势。

正在这关键时刻，于大夫从楼门里出来了，她一瞥之中，已断定那男孩是个逃学的顽童，并在对魏奶奶非礼，她本能地一声喝："小鬼！你哪家的！怎么不上学？！"那小鬼不等吐出的舌头让她看见，一溜烟地跑走了。

于大夫在小鬼跑走以后，才看出魏奶奶推的是个塑料娃娃。毕竟她是懂医的人，她抑制住自己的表情，以一种若无其事的声调同魏奶奶说话："今儿个天气真好哇！"

魏奶奶也便恢复了宁静，就仿佛小槐还在世时那样，自自然然地应答着："是哇！太阳挺暖和，小风不大，真舒服呀！"

于是，在于大夫的引导下，她俩站在楼门口，聊了一阵子：

"您说这是怎么说的——昨儿个我买了一捆芹菜，拆开一看，里头全是烂的……"

"可不是，昨儿个我们淑玲买回来的，也不好，一斤芹菜上就有三两泥！"

"东边那个菜站的菜，比西边的好，虽说远点，也还是去那儿买合适。"

"可不是嘛，"魏奶奶满脸赞同地说，"那几个卖菜的姑娘也喜兴，嘴甜！"

"那是，"于大夫说话时绝不朝那婴儿车上看，可她发现冯大爷提着个罩好布幔子的鸟笼走过来了，心里不免有点紧张，她想给冯大爷使个眼色，又怕魏奶奶觉察出来……

冯大爷一步步近了，他直到快走拢两位妇女身前时，才瞧见了那婴儿车上的塑料娃娃，他心里先是"咯登"一下，后来恍然大悟，便也尽量抑制住脸上的表情，热乎乎地同魏奶奶打招呼说："您早班呀！您推着孩子晒太阳啦？"

魏奶奶满脸笑容地冲他点头，应声说："是哇！我不每天都这时候推他出来晒晒吗？"

冯大爷看样子是还要提孩子的事，因为他的眼光停留在了那塑料娃娃上，于大夫赶紧把话岔开："冯大爷，您这黄鸟开嘴了吗？"

冯大爷抬起眼，目光跟于大夫一对，顿时明白了：还是不要提孩子的事好，便把鸟笼子提得高些，掀开布幔子，把那黄鸟展示给两位妇女看，并且聊上了鸟经："还没开嘴啦……这鸟，可难伺候啦……"

聊了那么一阵，魏奶奶觉得尽兴了，便主动告辞说："得，不早啦，我该推他回去啦！"

魏奶奶进楼以后，于大夫和冯大爷赶紧走到绿地当心，商讨起来。

于大夫说："估计她明儿个这时候还得推出来……说不定打这以后天天这样！"

冯大爷点头："可不。你看今儿晚上是不是该跟小两口说说这情况，给她治治？"

于大夫沉吟了一会儿，拿主意说："我先问问我们那口子，他虽是内科大夫，这样的病也还能懂个七八分……"

当天晚上，于大夫问了她那口子，那位内科大夫也真热心，当晚就跟医院里精神病科的大夫通了电话，那大夫也真热心，说请他们先观察两天，如果患者仍然每早八点到八点半左右推着塑料娃娃出来，他将在第三天亲自到他们楼来出诊……

第三天他果然来了，先装作是要找于大夫他们家，但忘记了层数和门号，敲开一楼魏家的门询问，这样就跟魏奶奶有了个接触。然后他到了三楼于大夫家，魏槐按原来说好的计划，找个借口也上楼到了于大夫家，于是那位精神病医生，便向在场的人——包括冯大爷在内——询问了一系列细节：魏奶奶除了八点到八点半那段时间，也觉得塑料娃娃是活的，就是小槐吗？不这样？别的时间她都处在知道小槐已故去，并摆脱不了忧伤的精神状态。她在八点到八点半以外的时间，把塑料娃娃放在什么地方？藏在壁橱里吗？你们在她面前表现出知道这个塑料娃娃、并议论过吗？没有？很好！那么，八点到八点半这段时间里，她的精神状态如何呢？好像没有了忧伤？像以前一样？……

都问完了，精神病大夫的治疗建议是：不要带她去医院看这个病，不必给她吃药，由着她每天八点到八点半推着塑料娃娃到绿地上绕，只是，这段时间里不能让外来的人惊吓着她——尤其不能嘲笑她，或向她点破：你推的是个塑料娃娃！要装作什么事也没发生过一样，让她一个人静静地推着小槐自如地散步……

魏槐有点想不通："那，她的病不就好不了吗？"

精神病大夫说："能好。你爱人不是又怀孕了吗？等那真孩子生出来，选一个早上，你们把那婴儿车里的塑料娃娃换成真娃娃，她就有可能在那天八点半以后，继续保持着当年小槐在世时的情绪……我的判断是有理论根据的，就不细讲了吧……总之，那时候她一切都会恢复正常的。"

大家都相信了他的话。但，这就出现了一种需要：在她痊愈以前，每天早上八点到八点半的时候，应当在绿地周围设一道纠察线，防止外来的人惊吓着她。

于是第二天就形成了正式的纠察线（头两天仅是冯大爷和于大夫出面照应，还不是自觉地进行纠察）。金先生接到这个任务时很是激动，他一再地说："那敢情该护着她！敢情！"退休局长老谢接受这个任务时，他那还没退休的处长夫人觉得有点好笑："成什么了？跟小孩子过家家似的！"老谢一贯对她恩爱顺从，这天却忍不住白了她一眼，正正经经地说："治病救人，责无旁贷啊！"

纠察线除了下雨的日子暂时解除，就是阴天、刮风沙的日子，也依然坚持着——尽管那样的天气魏奶奶并不一定推着婴儿车出来。转眼，这老人纠察线已经坚持快三个月了。

魏奶奶始终没有觉察出有这样一条纠察线保护着她的安宁。四位老人，却在日复一日的半小时纠察中，产生了一种异样的感觉，就是他们那退休后一度感到空虚的心灵，渐渐被一种越来越厚实越迷人的东西所充实……

早晨。太阳照着楼区。楼区一隅的绿地，一位老奶奶推着坐有塑料娃娃的婴儿车，安详地迈着步子，而另外四位老人，悄悄地在绿地四角执行着他们那神圣的使命……对这幅画儿，我们该说什么呢？

1982 年 4 月写于劲松中街

他要爆炸

他铺开纸，开始写那封酝酿已久的信：

　　敬爱的……

　　笔尖下刚出现这样的称谓，他即刻打住了。他在以前用过这样的称谓，不过，彼一时此一时，如今似乎用不着这样的定语了。他果断地撕下这一页纸，揉成一团丢到一边，重新开始：

　　首长同志：

　　刚写好这个称谓，他又打住了，首先是因为他发现"长"字旁边有从上页纸洇下来的墨点，这样的信，最好保持一种"卫生标兵"的面目；其次"首长"这样的称谓有拍马之嫌，最好改换成其他更得体的称谓。"嗤——"他又撕下这页纸，揉成更小的一团，再次重来：

　　领导同志：

这回虽然没发现从上一页洇下来的墨点，可"领导"这个字眼究竟与"首长"相去不远，而且"领"字写得太急，很不好看——掀起这页纸，刚要撕，手却停在了空中。瞧：眼看就要费掉三页纸了！他给亲友写信，一贯是用从单位里拿回来的红头信笺，可是写这样的信，为了某种微妙的原因，他却又一贯是自己掏腰包，到文化用品商店经过精心挑选，买回信笺来用的。他的这笔钱来得容易吗？花得轻松吗？

唉！

他轻轻地、充满感情地慢慢撕掉了那第三页纸，这回他没有团掉，而是将它插进了待用的第四页纸下面，这样，即使他下笔很重，那墨水也洇不过去了。

他很顺利地完成了开头那一行：

×××同志：

自己停笔欣赏了一下，字写得清楚而不僵板，不冠之以"敬爱的"、"尊敬的"一类字眼，也不含混地称之为"首长"、"领导"，直呼其名，不卑不亢，确确实实最符合于现阶段的总体气氛。接信人一看这称谓便可知来信者绝非阿谀奉承的无聊之辈。

底下的早已打好腹稿。这类信他已写过多次，命中率颇高。所谓"命中"，就好比打靶，只要打在靶纸上都算命中，当然，只有一次打在了"靶心"——使那个他所嫉恨的人彻底坍台并终至"自绝于人民"，其余的"环数"不等，"九环"有两次——把他的信作为一种高级"内参"印发过，产生了强大的威慑力量；"六环"有七次——把他的信摘录发表在了一种"群众来信摘编"上，他摘到了其中四份，现仍珍藏在写字台加锁的抽屉中；"五环"以下有六次——虽未印发，但或使某人被取消了出国资格，或使某人因之遭致退稿，或使某人被组织上找去谈话……最后的"环数"——"一环"，是使某人的老婆和某人大吵了一场。

虽然不好称为"老手"，经验便摸索出了几条：

一、务必短。长了人家可能一拿在手里就皱眉头，一皱眉头就可能不看。

二、虽然短，关键的话却必须重复。

比如现在他要反映评论家龚质刚在最近一次座谈会发言中的"严重问题"，在信中就设计了这样一段话：

他鼓吹"远政近民论"，说什么作家应当"离政治远一点"，"离人民近一点"，这实际上是污蔑我们的无产阶级政治远离了人民，这种"远政近民论"必将导致……

他有意把"远政近民论"这个标签加以重复，为的是加大惊动、激怒读信人的或然率。因为这种信，人家一般是只读一遍的，而读时往往又头昏脑涨（工作太忙，又读了许多文字材料），你把关键的字眼加以重复，那么，即使第一回出现时人家忽略了过去，第二回、第三回总能引起兴奋和注意的。以上一段文字实际上也体现出了他的另两条经验。

三、要善于概括。最好给所要告发的言论贴上一个耸动的、读来顺口的标签。如"伤痕永存论"、"性自由论"、"现代派万岁论"……以及现在的"远政近民论"，等等。

四、引用"错误言论"，最好的办法是摘录短句、词组乃至于字眼，然后加以合并，如：

他竟然说什么"最重要的"是"再现生活"的"真实图景"，而"党性原则"和"社会主义道德规范"都"不应当起作用"……

你永远不能指责这是造谣，因为这些词语讲话人确实都使用过，那人的原话与上面转述的区别无非是：

……党性原则和社会主义制度的一切方面，包括社会主义道德规范，都是每一个作家必须遵循和维护的，但文学创作毕竟不同于政治宣传，政治宣传的一般手段，在进入文学创作时不应当起作用，起作用的应是另一套规律……文学作品应当再现社会生活的真实图景，并塑造出丰满生动的艺术形象，给人以向上的力量……

他的经验当然远不止这四条。正当他运用轻易不使用的"杀手锏"写下这一句——

他在发言最后公然挑动青年作者说："现在的党中央真不容你！"

突然"爸呀——"一声呼唤从门外传来，他不得不暂且搁笔，从里屋走到外屋。

儿子正趴在外屋饭桌那儿做功课。

一见儿子那白净的面庞，油黑的大眼睛，他心里就喷涌出一股不可遏制的柔情。

老婆提出离婚的时候，他的头一个条件，便是要将儿子留下。老婆恨着他说："我知道你的心理。你并不爱他。你只不过是故意要让我痛苦。我太了解你了……"

她真的了解他吗？

不。她并不真正了解。

"你怎么又写这样的信？你真是……何必呢？"

当有一回，老婆从他肩后望过去，又一次这样唠叨时，他暴怒了，他把笔一摞，重重地将桌子一拍，墨水瓶翻了，墨水顿时淹没了那封未完成的信，同时本在屋角玩耍的儿子也"哇"的一声哭了起来。

"你懂得什么？！"他转身逼将过去，朝老婆喊了起来，"我是共产党员！我要革命！革命！！"

那一刹那，他胸中确实奔涌着一种难以譬喻的正义感和冲锋陷阵的豪情。

……一起上的大学，前后脚走向生活，都分配在文化部门工作，可那鬓角上有红疤的丰知秋凭什么超过了他？又是出书，又是拍电影，报纸上有专论，广播中有讲话录音……对一个为人民作出的贡献还很小很小的文学工作者，进行这样的吹捧究竟有什么好处？！给社会树的什么风？对青年引的什么路？更何况他那个"广播讲话"错误百出！为什么不提最近一次的党中央全会？为什么一次五分钟的讲话中竟然重复地出现了二十七回"我"字？把党组织和人民群众摆到哪里去了？！

老婆搂住哭奔入怀的儿子，想劝慰他几句，让他不要那样发怒，话还没说出口，他却又一屁股坐回藤椅中，抱住头，哭了起来。

老婆愣了一阵，便牵着儿子出了屋。

他哭得更凶了。是强压下哭声的一种闷泣。

他为什么哭？谁能理解他？谁能给他以慰藉？也许，只有他自己……

……那天的茶话会上，首长原来显然是朝我坐的那桌子走来的，丰知秋不知从哪儿钻了出来，结果就转移了首长的注意力……"祝贺你！"首长握住丰知秋的手，不住地摇晃……可首长知道丰知秋在大学时的表现吗？那一回在宿舍架起三块砖，用脸盆煮面条吃，弄得整个楼道烟雾呛人，并因此被警告的，不就是这位丰知秋吗？听说他分配到他那个单位以后，两年里就跟三个姑娘谈过恋爱，这是什么作风？……他那个电影里有这么一句词儿："到了天涯海角，我也记得住这棵树！"可那棵树是一种从外国引进的洋种树。为什么不去记住领袖、人民、革命事业，而单单只要记住那样一棵直到唐朝才传入中国的西洋树？！应当吁请首长同志们注意！"奇文共欣赏，疑义相与析"啊！……十字路口，丰知秋迎面而来，他竟然穿着西服外套！广大农村的贫下中农此刻穿的是什么？！"你来逛逛？""嗯。我刚从新华书店出来。""你买了些什么书？""哎，没什么好的，值得买的也就这些——""这些"都是什么货色？《西方现代派作品选》、《荒诞派戏剧选》、《橡皮》——好，记住这些书名，还有他的话："没什么好的"——这就是说，所有符合四项基本原则的书在他眼里都不算好……"值得买的也就这些"——全是西方腐朽的文化垃圾！……"你现在干什么呢？"他问我。这简直是挑衅！他当然应该知道，我正同别人合搞一个电影剧本。"开拍了吗？"这更是存心羞辱我！连署名的排列次序问题还没解决呢！……合作者那张马脸！他凭什么想把名字排在我前面？固然初稿是他拿来给我看的，可没我出的那些点子，导演能对本子表示兴趣吗？……电话铃响，我拿起听筒："……真对不起，厂里讨论了，你们的本子没通过……"该死的导演！又成"你们的本子"了，原来有希望上马时，他不也打算署名吗？他那时不是口口声声用"我们的本子"这样的称谓吗？……"儿童用品商店"，是模仿北京王府井大街上宋庆龄的题字。关于她的传记片有没有人搞？谁来同我合作？只要能拍，这回我宁愿把署名列在最后……在百货商场门口，竟遇见了康洁，那自杀而死的康洛阳的女儿，老康自杀的时候，她才多大？才十来岁吧？眼下已经二十出头了，亭亭玉立，明眸皓齿。

"——叔叔您好！您……"

良心这东西真没治！它就像一种软化剂，总得把你硬冷的灵魂弄软了算。望着前面这位穿浅绿色布拉吉的姑娘，我忏悔了。也许，十年前我确实不该写那样的信，就是写，列举的"事实"也不必那样多，贴的"标签"也不该那样刻薄，特别不应该的是，我竟拿给了他们单位的"群专组"，所谓"群众专政小组"当然不可能很好地掌握政策，我信上提供的材料被立即用到了揪斗他的大会上……听说老康是喝厕所里的"来苏水"死的，抢救了整整一夜，还是无效……

康洁她是知道那封信的事，还是不知道？

"——叔叔，您最近又写了些什么？"

显然不知道。她还在注意我在报纸副刊上发表的那些短评。她边读心里一定边想：啊，这位叔叔是我爸爸的老朋友，我也认识一位写文章的人呢！

"你长得好大啰！"我充满感情地说，"现在干什么呢？上学呢，还是已经参加工作？"

"上大学呢。学建筑机械。"

还好，不是学法律。不至于产生一种追究的欲望和调查的兴趣。

"你妈妈呢？"

这有点明知故问。不过这样的问题在这种场合是得体的。

"……我早就不理她了。我从下乡插队起就自己一个人过。"

她不理得越早越好！否则，那位在老康自杀前就弃他而去的妇女，也许会将我写那封信的事漏给她。

"你爸爸……真可惜啊！"

她眼圈顿时红了。

我鼻子也跟着一酸。不是装的，我鼻子真酸了。我想起在一个"四清工作队"时，我和老康住在同一户老乡家里，我们住的那间屋子四面透风，是他想了办法，带动我耐心地用报纸堵住了每一个漏风口，费去了整整一个月的报纸。后来因为要查找资料找不到报纸，我们两人还一起挨过批评。还有一回，他休假回来，带回两只苹果，他把大的那只给了我，自己吃小的一只，我还打趣地说"'孔融让梨'的典故应改为'老康让果'！"他当时笑得两只眼睛变成了一对小镰刀……

当然，后来因为他处处总是超过我，比如，他在"四清工作队"干了半年就入了党，而我是直到 1969 年时才"纳新"的，我心里总有一种对他气不过的情绪，结果……不去想这些了。人都没有了，总得记住他的好处。他给我的那只苹果的确是极为甜美的。什么品种？红香蕉还是金元帅？你看，记不清了……

"你要好好学习啊……"我鼓励着康洁，"继承你爸爸的遗志……他现在也算受迫害致死的烈士了吧？他要能看见今天向四化进军的宏伟图景，看见你出落得这么一表人材，该有多高兴啊！……"

康洁被我的一番话说得破涕为笑。她微笑时那双眼睛多像老康——一对亮闪闪的小镰刀……

同康洁分手以后，我心里还是老梗着她和她的爸爸康洛阳。我还算个人吗？"来苏水"那滋味真连想都不敢想！据说一喝进去，消化道顿时冒烟……我拐进"美味斋"餐厅，找了个角落坐下，要了两个菜，三两白酒。我一边喝一边想：能怪我吗？那个历史阶段的情况要具体分析嘛！罪魁祸首是"四人帮"一伙嘛！归根结底，是"四人帮"，具体来说，是支配着他们单位权力的那些人，不，是那些人所推行的极"左"路线，要加害于他嘛！我那小小不言的一封信，能有多大的分量呢？再说，我那时候以为那样做是对的嘛，有几个有能像张志新那样清醒呢？

"不过，人家不清醒，人家并不写这样的信……你不清醒，你怎么总是写这样的信呢？"

老婆在发问。讨厌。用得着回答吗？宪法、党章上都有条文嘛，写信是合理合法的，而且，也是受到鼓励的嘛！

"爸呀——"儿子的又一次呼唤，把他那流云般飘过的思绪切断，他才发现自己出了里屋后，竟站在外屋窗边发了一阵愣。他赶忙快步走到儿子身边，一手扶住儿子肩膀，一手伸向儿子摊在桌上的本册，用一种溺爱的口吻问："怎么啦，怎么啦？又是哪道题不会做，要考爸爸啦？"

"爸，你给我看看嘛——"儿子把一张油印的篇子塞到他手里，"这回我分段分得对不对？"

儿子上回期中测验，有一道"给短文分段"的题目满砸，扣了十六分之多。是他自己嘱咐儿子，以后遇到这类练习题，作好一定要先让他过目。

他把那油印篇子凑近眼前，托托眼镜定睛一看——不看则已，看了不禁大怒：原来学校里给初一学生们印发的，竟是龚质刚新近在报纸副刊上发表的一篇散文。龚质刚在评论界大显身手还嫌不足，又来染指散文界，并且他那狗屁不通的文章，竟被一批蠢头蠢脑的语文教师印发给了学生，当做什么补充教材，又让分段，又让概括中心意思，还让摘录出明喻和暗喻……是可忍，孰不可忍？！

"爸呀——我分得对不对呀？"

"胡闹！"他大喝一声。

儿子吓了一跳。难道这回又全错了？

他甩下那油印篇子，大步流星地返回了里屋。

儿子不敢追进去问个究竟，只好啃着铅笔杆，望着面前被爸爸拇指和食指几乎捻破的油印篇了发呆。

他坐回藤椅上，极为迅速地把那封信已写好的部分读了一遍，读到最后一句，他本能地把"现在的党中央真不容你"中的"你"字圈掉，改成了"易"字，但刚改完他就仿佛被轰雷击了一下，恼怒地责问自己：你是怎么搞的？简直是发昏了！

他把那页信纸撕掉，把上面的句子重抄了一遍，最后一句恢复为：

……他在发言最后公然挑动青年作者说："现在的党中央真不容你！"

重读了一遍。他对自己点了点头。对龚质刚真是丝毫也用不着客气，这回非把他扳倒不可！

"你看你……退一万步说，你写了那么一些信，得了什么好处呢？"那已经离婚而去的老婆的声音，不知为什么又响在了耳畔。

他在一种极其复杂的心情下，不禁浑身微微颤抖。就这句话而言，他不恨她。他的信尽管被出成了高级"内参"，被印入"群众来信摘编"，但他并没有因此而被首长召见，而被登报表扬，而被破格提职提薪，而被定为某种代表或委员……在粉碎"四人帮"以后的一次批判会上，当人们提到张铁生因写在考卷背面的一封信而飞黄腾达这件事时，他突然气愤地插话说："张铁生，那真是极个别的……败类！"人们都没有注意到他那特异的神色，他说这话时，重音放在了"极个别"三个字上。真的，他想到这一点就更加痛恨"四人帮"——他们怎么就仅仅重视那极个别的家伙，而张铁生那样的不学无术的家伙，分明是成事不足败事有余的……难怪"四人帮"要倒台！该！

"你……得了什么好处呢？"

有时候，当他发出一封那类的信，回到家里，靠在床上，望着窗外在微风中摇曳的树枝时，他也曾扪心自问。

"就算我什么好处也没得着，反正我也让丰知秋那样的人得不着好处……凡是跟我差不多同时起步的，谁也别想比我多得着好处……"

于是他回想起以前所寄出的那些"中靶"信的效应：谁因此被批斗，谁因此入不了党，谁因此处于"控制使用"的状态，谁因此被取消了出国访问资格，谁因此被停发了作品……他竟油然而生了一种特殊的快感。

人生在世，有的作为不一定是为了使自己获得什么，而是阻止别人去获得什么。他既不是在这方面有特殊癖好的头一个人，当然也不会是最后的一个人。

倘若既能阻止别人有所获而又能使自己有所获，那就更好。然而，难！因此他又时时陷入苦闷，爆发愤懑，他会一根接一根地抽烟，丢下一地的烟屁股，他会一杯接一杯地喝酒，然后再"哇哇"地将胃里的东西一口接一口地吐出，他因而喜读《离骚》，在月夜里行街头时，他会仰天吟出"冠盖满京华，斯人独憔悴"、"残杯与冷炙，到处潜悲辛"一类的诗句，他并且曾对从街上急驰而去的小轿车啐过唾沫，又曾在单位里的几个青年人大发牢骚、痛骂"特权"的场合，比他们更为激昂地说过这类的话："他们整天就是饱食终日、无所用心，哪里知道谁是真正的忧国忧民之士！"

有的时候，当他写那样的信写到第二页——也是关键的一页——当中，他会忽然产生一种恍恍惚惚的感觉，就是他的的确确是在坚持党性原则，同祸国殃民的错误倾向斗争，那境界就好比扮演梁山伯的演员在舞台上忘记了观众，忘记了后台，而真觉得自己必须钻进祝英台坟墓中并化为蝴蝶似的。

可是最近他这种"境界"开始受到了某种潜在的威胁。

"你不要乱写信了，诬告别人是要受到法律制裁的！"这是老婆带着女儿离他而去时的临别赠言。

首先，话是那么说，谁见有人真因"诬告"而被治罪？凡是寄上去的告状材料，人称"小报告"的，最坏的遭遇也不过是置之不理，留档备查。

其次，他哪一回是诬告别人？他都是有根有据的，可以来找他调查嘛！

比如这一句："他……挑动青年作者说：'现在的党中央不容你！'"他就有录音为证。

他很早就弄到了一台日本产的小录音机，只有两个香烟盒那么大，参加座谈会时，发言的人常常请求："我还没考虑好，都是不成熟的意见，希望不要录音……"那些公开亮出来的录音机都关掉了，他的却还开着，他把那录音机放在了他的尼龙布提兜中，别人轻易发现不了。

回家来审听别人发言的录音，在他来说也是一大乐趣，强似收听李谷一的《乡恋》和苏小明的《军港的夜啊，静悄悄》。那龚质刚是南方人，有口音，因此当他说到："你们青年人要懂得，现在的党中央不容易，你们不要给党中央添麻烦……"那段话时，录下来的声音就完全可以解释成："你们青年人要懂得，现在的党中央不容你……"

实在遇到人家真来核对，他可以放录音，还不许他听岔吗？他即便反映错了，用意总是好的吧？他对龚质刚攻击党中央感到义愤，即便弄清楚是个误会，他的政治感情总还得加以肯定吧？

何况，百分之九十九的可能性是：根本不会来找他调查。也未必会找别人调查。

……该收尾了。这样的信他照例用三页纸的篇幅。用一页纸人家会觉得分量太轻，超过三页人家便会发烦，而以三页打住最富魅力——可是他突然又想到儿子学校所发的油印篇子，这本是件很小的事情，不知怎的，他此刻却万万不能接受这个事实，于是在冲动中，他破例地接着写了下去：

还有，龚质刚的生活作风也很成问题。他鼓吹……

不知不觉地，就写到了第四页上，并眼看还得再另起一页。

"——电话！"

院里突然有人高声叫唤。

是他的传呼电话。他赶紧撂下笔，飞跑出去，经过外屋时，竟顾不得瞥上儿子一眼。

他预感到是谁在给他打电话，拿起话筒时，他心里顿时充溢着甜蜜的柔情。

"哪一位？"

"连我的声音也听不出来吗？"

"你在哪儿呢？"

"在文化宫，公用电话的小亭子里。"

"你……"

"快来吧，我等你，老地方。"

"我……我正忙着呢。"

"什么不得了的事，值得这么忙？"

"你哪知道……"

"我也不想知道。我就要你……来，快！"他全身都快化成核桃酥了。

他想象着她此刻的身姿装扮：梳得光光的头发，在脑后盘成一个大髻，用一种银灰色的有机玻璃发卡卡住；蓝底白花的蜡染布缝成的上衣，深灰色的筒裤，下面是一双珠贝色的高跟鞋。虽说实际年龄已近四十，看去实在只有二十七八。

她是一位有夫之妇。但她不爱她那丈夫，而爱来接电话的他。他们是在一次座谈会上认识的。散会后他们偶然站到同一汽车站等车，那天也不知那路车出了什么事，偏久久不来，于是他主动提出来无妨朝前走走，她同意了，他们便沐着晚风，谈笑着，顺绿荫重重的人行道朝前走去，不知不觉地就走出了两站路……

后来……又在座谈会上相见，又在散会后漫步同行。拐进了公园。找到了一个僻静的角落。长椅上紧紧地依偎。他吻了她，她接受了。与座谈会无关的相见。再一次约会。又一个角落。浓郁的丁香花气味。数星星。结果数到了她的眼睛……

她并不一定与他的观点相同。她只知道他那些报纸副刊上的小块文章。她并不知道他那些成功或者虽未成功也算不上失败的书信创作。不该说的他都没有对她说。她也从未问及这方面的任何情况。真是说不清楚——为什么她跟他竟一见钟情。

没有讨论过他们今后怎么办的问题。她看来并不打算离了婚同他结合。他虽动过念头，但考虑到所要超越的障碍实在太多，也便让那念头一闪而过。他们就这样也很好。最近她的丈夫又出差了，所以她隔几天就要来一个电话。

"……咦，你成哑巴啦？你来不来呀？"

"我去。不过……我得赶着写完一封信。"

"信？你在给谁写信呢？"对方那声音里涌出一股醋意。

"咳，给我的老同学——早就当了爸爸的人，叫丰知秋的……"

他本是顺口那么一说，谁知那边竟有呼应："丰知秋啊，名人嘛，今天的报上不登他的照片了吗？"

什么？！一天不看报，居然就又出现了一个他万万不能接受的事实！这么说，丰知秋还在猖狂。上回那封信寄出去以后，关于他的一篇评论不就撤稿了吗？怎么今天突然又在登他的照片？

"……咦，你倒是说话呀——你究竟给谁写信呢？给你的对象吗？"

他一时仍不能回答。他心乱如麻。关于龚质刚的信尚未写好，又出现了再写一封关于丰知秋的信的迫切性。真好比王熙凤尚未除掉尤二姐，偏又来了个秋桐。

"……你怎么回事？你不来算了！"

"啊，我当然去！就去！"他回过神来。想到她那些吸引他的因素，他的心里又漾出了一股难以譬喻的滋味。毕竟他也是人，大活人，他需要同她见面时所派生出的一切乐趣。那乐趣的价值并不在写信、寄信和得知那信"中靶"时的快感之下。

"你等着我，老地方，我这就来！"

他撂下电话，付了钱，匆匆赶回家里，刚迈进屋，就发现儿子原来正在对着那油印篇子垂泪。他心里一酸，脑际飘过老婆离去后，他们父子共煮一锅挂面，总煮也煮不熟的情景，于是赶忙走到儿子身边，拍拍他的肩膀，无比温柔地说："这是干什么呢？别哭了，别哭……你做得差不离，接着做吧……"说着他从衣兜里掏出一块钱来，放在儿子眼前："我有事，要出去一趟，晚饭你自己到饭馆吃吧，要个好菜，吃完饭再吃块冰糕……"

儿子不哭了。他回到里屋，接着把那关于龚质刚生活作风败坏的一段写完。于是，他以最快的速度检查了一遍全信，签上了名，署清了日期，便细心地折好，装入早已写好的信封中，又用胶水细心地粘紧封口，贴上了八分邮票，这才站起来对镜整理衣装……

从镜子里，他端详着自己那开始发福的身躯和额头、嘴角，那已无法消除的皱纹，不禁悲从中来。"过尽千帆皆不是，斜晖脉脉水悠悠"，他那一举成功的日子怎么还不来临呢？为什么那丰知秋、龚质刚之流反倒侥幸"上去"了呢？这公平吗？

当他拿着那封信走出家门时，他心里回响着这样的豪句："仰天大笑出门去，我辈岂是蓬蒿人？"……

他把那封信郑重地投入了邮局大门外的邮筒中。尽管他另有七情六欲，他几乎从那天晚上开始，一得间隙便默想着：龚质刚你别得意……

谁知第三天下午，他刚从外面回来，儿子就递给他一封信说："爸，这信上怎么还有个条子？"

他接过来一看，原来是他前天寄出的那封信，邮局竟给粘上了一张纸条子，按发信地址给退回来了，那条子上写着："超重欠资，请补足邮票后再寄。"

他几乎当场爆炸，炸成碎片。

"他们明知道我这信是寄给谁的，怎么敢……这样？！"

他咆哮着。

儿子吓跑了。院里的邻居都从门里伸出头来，惊讶地朝他望着。

他手里提着那封超重信，浑身乱颤。

1982 年 9 月 12 日写于云南个旧云锡招待所

去

犹豫了一阵，才答应下来。

单位比我更犹豫。因为他提出来一定要到家里访问我。考虑过几种方案：告知他我家里有病人，还是让他到单位专供接待外宾的会客室同我谈；让他到我哥哥家里去会我，因为那毕竟是一个"拿得出去"的单元；告知他我出差在外，免去这一次访问……

然而最后还是满足了他：就在我那十平方米的蜗居中会见。

让妻子带女儿回娘家去了。把屋子彻底清扫、仔细布置了一番以后，看去倒也清爽雅洁。暖水瓶蓄满滚水，瓷茶杯装妥细茶，又当书桌又当饭桌的台子上摆出一碟什锦果脯，考虑到客人的卫生习惯，还往每块果脯上事先插好一根牙签。

他准时来敲门。

开门迎入。一瞥之中，院内仍有几个邻居在他背后延长脖颈、半挂下巴——虽然早已由居委会通告：不要围观尾随。

相貌也平常。衣着在那边大约远不算豪华，然而在这边一眼望去便有种说不出的高级感——我们出国人员在红都服装店一类地方缝制的西装，不知为什么相比之下总有点"怯"。刚坐下两分钟，他便使我的小屋弥漫着一股从国境外带来的香气。可是所谓的"梦幻型"？

普通话说得很好。想必出生在唐人街。家里大约还要顽固地摆条案，供祖先牌位、观音菩萨，吃饭用筷子，喝汤用短柄瓷匙。

随身带着录音机。那还是 1979 年，我们这里录音机远未普及。说实话，我还是头一回同录音机发生关系，竟不由得有点紧张。原来读容龄的《清宫琐记》，对当时宫中人以为照相会摄去魂魄而生恐惧，颇觉滑稽。刹那间却理解了那样一种心情。

他从一只轻巧的硬壳小扁箱中，取出来一本拍纸簿。从那上面取下一页纸来，递到我手中。那是他这次来中国所访问的学者名单。最后一名是我。国内有关部门如果开列一个有关名单，我，以及我前面的几名，是否有资格忝列其上，一定还会有所争论。然而他不管这个，他有他的计划，他的计划得到了有关部门的尊重，他能从最赫赫有名的头几名一路顺利地访问到我这里，便是明证。我们的某些框框条条，毕竟还是靠他这样的外来人方能打破。

他说名单上的所有人都已访过，都录了音、记了笔记、拍了照片，现在只剩下我一个。访过我以后，第二天一早他便要飞回 × 国。他将很快把材料整理出来，并很快写成一本书，交由早已签好合同的一家出版公司很快地出书。

我问他："快到什么程度呢？"

他答："顶多三个月。"

我想到我交到出版社的一部书搞，早已过了三个月，竟尚未发稿，就算明天发稿吧，排、校、印、装……总得一年以后方能见书。而且，我何尝不想访问他那名单上的几位权威呢？我那论著正缺他们所能提供的第一手资料。然而，他，一个外国人，却能"一网打尽"地弄齐所有资料，从而能抢先出书。我，一个中国人，研究课题与他相仿，既见不到本国权威，又不能出书在先。

看模样，他跟我年龄相仿。我下干校那五年，他做什么呢？

他开始发问。

胸内梗着一种心理障碍，我不能热情回答。

他不介意我的淡然僵涩。他提起我新近发表的两篇论文。他读得真细。他提出了三点质疑，却又从两方面极中肯地指出了我那论文在那一研究领域中的新突破。他拿出两份复印的剪报，原来国外已有报刊报道并摘录了我那论文的要点。我的论文在国外的反响还得通过他方能得知。倘他不告诉我，很难有什么单位什么人来告诉我。他走后，我又将如何得知？求他不断来信吗？我为什么必得求助于一个外国人呢？

他的学识估来平平。不过能感觉到他很聪明。

渐渐地，交谈的温度有所上升。我想起来请他喝茶，他便端起茶碗呷茶。我请他吃果脯，他便很随便地直接用手指拈起果脯往嘴里送，并不利用我那精心插入的牙签。他问我可否吸烟，我赶紧道歉："因为我不抽烟，所以没准备香烟招待你。"他微微一笑，掏出一包"三五牌"，取出一支，用一只薄得令我吃惊的打火机点燃，抽了起来。我赶紧找来一只碟子，权充烟缸。

不一会我和他便都笼罩在烟气中。我漫不经心地问他："这'三五牌'好抽吗？"

他也漫不经心地回答："还好。不过我以往一贯喜欢抽'飞马'。"

是天津出的"飞马牌"吗？在国内似乎远不算名牌好烟，没想到也能出口，也能博得如他这样的外国高级知识分子的喜好。这，也该引以自豪吧？

竟谈得投机起来。

我很惊喜，他，一个外籍华人，又是头一次回中国，对国内的情况，特别是对我们所议及的研究领域的状况，居然了解得如此清楚。都说国外的情报工作搞得好，信然也。当然，他也真会利用那里的优越条件。怪不得他在那边俨然是这方面的专家、权威，而且，一家比他目前所在大学更其高级的大学，已聘定他去任教。不过，平心而论，他这样的水平，国内并不鲜见。扪心自问，似乎我在这个领域里所达到的境界，他尚不能立逮。不过，我想要获得他目前的学位、职称、待遇、礼遇，至少还得二十年之后吧。哪里就轮得到我呢？

这大约都属于不正确的意识。需抑制。

我能抑制，他能吗？

给我拍照，没让我摆姿势，不要求我笑，这都让我感到舒服。闪光灯闪动之间，他很自然地问及我的夫人、孩子，我简略地回答了，他也便不再多问，这也让我释然。

他的访问该结束了。

我同他面对面地呷茶。我在考虑如何向本单位和"有关单位"汇报。他在考虑什么？

院子里静得出奇。这时间按说不该这般清静。该做饭了，应当有淘米声、切菜声、炒菜声，以及各种各样的人声：孩子的嬉戏声和喧嚷声、大人的吆喝声和笑骂声……然而竟都没有。大约居委会值班的人已经申斥了他来临时围观尾随的人，并且已昭示邻居们：待他走后，方能开炊做饭。

他似乎并不急于告辞。

我总得再尽主人之谊。

给已经颇淡的茶水中又倒进些开水之后，我全然是敷衍地问："你是出生在 × 国的，还是后去的？"

他答："后去的。"

我依然是淡淡地问："去了多少年头了？"

他坦然地告诉我："差不多半年吧。"

我以为我听错了。

要不，就是他听错了我的问题。

我重问："我是说，你是什么时候去 × 国的？"

他重答："差不多半年前吧。"

我愣愣地望着他。

他微微地笑着，坦然地对直望着我。

他更不急于告辞了。他爽性重点了一支烟，悠然地吸了一口，不待我问，便从容地把他的经历告诉给我。

原来他和我是同一届大学毕业生。不同的只是：我是北大的，他是外省一所大学的。

原来他和我毕业后都分配到另一所大学当助教。不同的只是：我分配去的大学是一所重点大学，他分配去的只是一所市办的师范学院。

原来他和我都酷爱我们的研究课题。不同的只是：我写出的论文尚能历尽艰辛发表出来，他写出的论文一直总是被退稿。有时退稿信仅是一张六十四开的油印纸片，而且连那留待填入姓名和稿名的空白也未填写。他也曾找到编辑部质问，有一位编辑便直率地告诉他："不是你的论文不好。发表这种规模这种规格的论文，还轮不到你这样的人。"

原来他和我一样都有十年之误。不同的只是他下干校比我还多了一年，我是种菜的，他是喂猪的。

原来他和我一样，在结婚八年之后还仅住着一间十多平方米的小屋。据他说不同之处只是我现在还比他当年多了一盏落地灯。

一年多以前，他叔父来信让他去 × 国接收一笔遗产。他跑了应该跑的所有地方，办妥了手续，半年前——严格来说，还不足半年，算至同我对坐对谈止，是五个月零十九天——他顺利地到达了 × 国。他有了钱，又有了机遇，他带出去的论文，先在华文刊物上刊出了，后来又被外文报刊摘译。他在头一个月内找到了一份校对的工作，半个月后便进了一所大学里的资料馆，一个半月后，他因论文和讲演的影响，又靠得力的推荐，居然到另一所大学通过了博士学位并执教鞭，三个月后他的地位已然稳固。他告诉我：关键之一，是他的外文水平高，不仅能听、说、读，而且能直接用外文写论文。他先是把在国内写讫的论文自译为外文，后来爽性直接用外文写论文，这就一下子把那些汉文差的外国"汉学家"和外文弱的华裔"汉学家"比了下去。

他是一个人先去 × 国的，他的妻子和一儿一女，尚留在国内。不过他已为他们办妥了出境手续，不日他们便将在 × 国欢聚。

很离奇，却也很简单。

我问:"接待你的单位,知道你的底细吗?"

他摇头:"看样子是不知道。如果知道,我的访问计划能这么顺利地进行吗?"

我问:"你为什么要瞒着他们呢?"

他笑了:"我没有瞒。因为并没有人问及我半年前的情况。大约他们一听我是博士,总以为我至少总得在那边熬了二十年。"

我默然。我们单位里这样的人还少吗?他们工作早已超过了二十年,出的书已有几寸厚,国内外知名,然而他们的职称距离博士、教授、研究员之类还相当遥远!

我问:"你没有回母校去吗?没有回你半年前工作过的学校去吗?"

他摇头:"当然没有回去。"

我问:"不过你回来这事,他们总会知道的吧?"

他很肯定地说:"除非有老同学、老同事知道了,讲过去,否则他们是不会知道的。"停了停,他又补充说,"其实让他们知道一下也好。不过,我的访问日程安排得很紧,所以老同学、老同事我是一个也没见,一个也没写信。"

我还一径往下问:"你在国外报刊上发表的那些东西,你的母校和你工作过的学校资料室里,总能见到一部分吧?他们总该想起你来,打听你的下落、行踪。"

他现出一个苦笑:"巧极了,两个学校的资料室,都是由一位校领导的夫人负责,而她们都全然不懂外文,她们能做的事,只是把本来就为数不多的外文报刊垛起来,锁进柜子里。至于那些刊登我论文的中文期刊,她们就是翻检过,也不会注意到我,因为我的名字对她们来说毫无特殊意义——当然,或许会有一些教师去借阅那些期刊,不过他们能不能顺利地借到手,借到手能不能从容地阅读,就难说了——你难道不知道这种情况吗?"

我当然知道。我能说什么呢?

送他出院门。

鲁迅的作品我之往往不忍再读,就因为竟还那么样地不过时!挤在玻璃窗上的鼻子,三角形的平面……既如此,又何必这般寂静?

他却忽然一脸凄楚，似乎对我生出了一种特殊的感情，走到院门边，停住脚对我说："我明天一早飞走。"

"知道。你对我说过了。"我对他的情绪不能呼应。

"……所以我把我的底细都告诉给你。反正我也就是这样了。我是没有办法……所以我去了。我这一去，怕是不能再这么春风得意地回来了……你们都知道了我原来不过如此，当然不会再这么接待我了……"他忽然露出一种形容不出的微笑，晃晃手里提的小扁箱子说，"不过，该有的我都有了。除了我最后访问的几位，除了你这样的年轻的，那些老权威，他们今后恐怕也不会有什么新发展了，所以我的材料是足够了！今后国内形势会越来越好，外面来访问的人会越来越多，这些老权威怕不会像这次似的全数出场了，就是还能见着，怕也不会像跟我谈这样有问必答，每答必细了。我就一辈子研究他们当中的几位，也够稳坐这教授宝座了。当然，对你们这批新秀的动向，我还会关注的……也许我过一二年三四年还要回来，希望那时候还能见到你们，而你们也还能理解我、欢迎我，毕竟，毕竟我还是爱国的啊……你不相信吗？"

他不眨眼地望着我。我只是沉默。

一辆丰田牌小轿车一直在等着他。

他跟我握手，他眼里确凿闪着泪花。他只是喃喃地说："我去了。去了。去了。"

我依然沉默。他坐进车子里以后，从车窗里对我举手点头致意，我也举手点头向他示意。司机早已等得不耐烦，车子立即驰离了我们那个小院，扬起一阵干土。

他去了。

由他去吧！

因为我们比 1979 年那时候聪明多了，所以我把这件事写出来。

我们应当更聪明一点。

2> 1982 年 8 月 29 日于昆明

黑　墙

夏日。星期天。

胡同小院。三两棵树，五六家人。

清晨。七点半左右。

有一户姓周的，一口人住一间东屋。这周某人三十啷当岁。猜他没结过婚，可他用个有大红喜字的脸盆洗脸。猜他结过又离了，见了院里没对象的大姑娘又何必低眉顺眼，绕着弯儿走？他搬来不久，工作单位的名称挺绕脖子，院里的邻居们也闹不清他具体是干什么的。可掐指一算，他那么个岁数，插队八年回来的，工龄归里包齐满打满算也就七年挂零儿，能挣多少钱，能享受哪种待遇，提供不了多少可供猜测的乐趣。他来了以后不招灾不惹祸，不串门不待客，院里见了邻居，或是邻居先问他："吃了吗？"他不卑不亢地答一声："吃啦！"或是他先问邻居："您歇着啦？"邻居答一声："可不！坐这儿过过风！"脚底下并不见他停步，一径去了。有时候到院里公用自来水龙头儿那儿接水，或洗衣物，或淘米准备煮饭，跟邻居遇上了，自然不能不多谈上两句。他是有问必答，有答无问。院里的老住户们既谈不上喜欢他，也谈不上嫌厌他。

这天一大早他就忙乎开了。先是往屋子外头搬东西。再就是用一只大澡盆调配什么浆水。他大约头天就借来了一台脚踏式喷浆机。显然，他是要喷他的屋墙。

这本是档子平常事儿。邻居们在自来水龙头那儿遇上他，问一声："您今儿个喷房？"他答一声："喷喷！"客气一句："用不用我们帮忙呀？"他道一声谢谢："有喷浆机，容易！谢谢！"接完水，也就各自相安。

院里碗口粗的国槐上，绿伞似的树冠里藏着的知了，开始一声递一声地叫唤起来。大伙听惯了，也就不觉着腻烦。

七点四十六分左右。

"嘁——嘁——嘁——"

那声音有点新鲜。可很好理解——周某人开始喷房子了。

差四五分钟八点。

院里歌班的年轻人一连走了几个。自然是打扮得仔仔细细，而又各不相同。有一位平日卖肉的姑娘戴着假宝石耳坠、蹬着乳白高跟鞋、一出院就打开了蓝花自动尼龙遮阳伞。另有一位平日在铸工车间翻砂的小伙子，上身穿着件也不知哪儿弄来的印着美国印第安纳大学英文缩写字样的圆领衫，下身穿着条出口转内销的灰灯芯绒猎裤，戴着副紫罗兰色框架的大号遮阳镜，推着辆小轱辘自行车也出了门。再有一位在大学分校学企业管理的姑娘，穿着件自己裁剪缝制的不掐腰的浅绿色布拉吉，提着个正圆形的草编包，也匆匆忙忙而去。因为他们都走了，所以下面的事情才会那么发展。不过如果他们留下来，能不能改变事态的发展，也很难说。因为至少还有一位年轻人始终留在家里。他是在商场卖玻璃器皿的，这个轮休日他吃完早点就靠在床上看一本《没有点亮的灯》，他妈后来叫他参与下面的事情，他付之一笑，仍旧看他手里的书。

八点一刻左右。

院里气氛开始有点紧张。说"院里"不够准确，该说"屋里"，也不是所有的屋里，而是北房正当中那间屋里。那家姓赵，赵师傅五十六岁，提前退了休，为的是让二闺女"顶替"、"接班"。退休后一度到某单位去"补差"，最近那单位缩减工序，赵师傅暂时赋了闲，正联系着新的"补差"单位。

几位邻居是自然而然聚到他家里去的。他们告诉赵师傅：那周某人往墙上喷的，竟不是白浆而是黑浆！他竟要把屋墙弄成黑的！那黑浆也不知是用什么材料配的，就跟墨汁那么黑！漆黑漆黑！

赵师傅一方面大感吃惊，一方面却朦胧地体味到一种心理上的满足。退回十年，他当过一个歌舞团的工宣队副队长，那时候"积极分子"们发现了什么"新动向"，来向他报告时，神态、语气就有这么股子味道。赵师傅的老伴赵大妈，内心与赵师傅共鸣。退回八年，她当过"社会主义大院"的"院长"，有一回人们在枣树后的墙根那儿发现了半条"反标"，来报告时，也是这么个气氛。十年八年前的那些事儿，原以为早就封存在死灰里了，谁知来了一股风儿，旋着旋着，那冷灰似乎又有了几分热气儿。

"这可不成！"赵师傅威严地表态。

"这是怎么说的！"赵大妈表达着义愤。

八点二十五分左右。

"嗤——嗤——嗤——"

周某人依旧喷着他的屋子。

最新消息：他把顶棚也喷成黑的！

赵师傅让来的人们坐下。坐下就有点开会的气氛。有各种各样的会。有的会谁都腻味，有的会你喜欢他不喜欢，有的会他喜欢你不喜欢。赵师傅喜欢现在这样的"会"。他提出动议说："这个情况，咱们得赶紧跟派出所反映！"

搁在十年八年以前，这既是建议也便是定论，既是个人发言也便是领导指示。

然而现在毕竟不是十年八年以前。瘦高条儿钱大叔居然立即就予以反对："这事儿，依我说咱们都别往那上头想……再说，无根无据的，咱们哪能就往派出所报呢？"

赵师傅和赵大妈都瞪着他。心里都在想：这个老裁缝！当年让"业主"的头衔压着的时候，能这么张嘴就驳回我们吗？如今在家里揽私活儿，彩色电视机买来看着，谈话的声气也变了。

确实，钱大叔现在挺直腰板坐在那儿，侃侃地发表着他的看法：周兄弟兴许是犯病！有那么一号病，小报上登过例子，病人兴奋起来，就做那出奇的事儿……这小周上星期天在屋门口晒被子，大家伙兴许都没留神儿——那被面是大红的线绨，这不稀奇，可那被里居然也是清一色的大红布，真是透着古怪！所以说，该做的事不是去报告派出所，而是去找大夫——胡同里就住着位退休的中医，虽说中医兴许不擅长治这号病，可请来给瞧瞧到底没有坏处……

钱大叔这番话也没多少人响应，因为大家随着他讲话都不由朝窗外望去，透过槐树荫儿，只见那"周兄弟"在自己屋里神色自若地继续喷着墙壁，隐隐约约地，还听见他哼着一支什么歌，难道这是有病的神色做派吗？

坐在门边的孙老师，用左手小拇指搔着只有几缕头发勉强铺掩着的头皮，建议说："该去问问他，问他干吗要喷黑墙。他要说不出理儿来，咱们就禁止他——不，劝阻他——对了，劝说他，让他别再这么干了。"

凑巧坐在尽里边的另一位邻居李大娘，顺水推舟地说："那您就替大伙去问问吧！"

别的人也就都让他去。

八点三十六分都过了。

孙老师提建议的时候，心里只想着：自然是由赵师傅或赵大妈出面去问。没想到大伙却都让他去问。他后悔自个儿恰好坐在了门边，他在一所小学校工作了三十多年，是干总务工作的，并没教过一天书，虽说耳濡目染之中练就了咬文嚼字的习惯，可临到这种场合，需要挺身而出，去询问"怪人怪事怪现象"，他却像被强推到讲台前一般，手脚无措，舌头也打了结儿。

八点三十七分。

"嗤——嗤——嗤——"喷房的事态在继续发展。

"嗡嗡嗡……"屋里的人们就近压低嗓门议论着。

孙老师机械地弹着左手小拇指的长指甲，两眼只望着鞋尖。他可不愿意去问那"周兄弟"。倘若让人家给干撅回来，脸上可怎么挂得住？又怎么跟大伙儿交代？倘若那"愣头青"说出着三不着两的话来，可怎么办？如实汇报吗？那不成了揭发检举？加以隐瞒吗？那不成了知情不报？而且又没有旁证，将来复查起来，谁说得清楚？……

费了好大劲，额头上都挂出一溜汗珠，孙老师才开口说道："还是，还是——赵师傅您去问问、问问吧！"

其余的人也就借坡下驴地一叠声说："就赵师傅去问吧！"

赵师傅先坐着没动。待人们把一般性的推让口气转化为请求的口气以后，他才猛地站了起来，一声："我问去！"抬脚便出了屋。

人们的目光，透过门窗，追随着他的背影，直抵"周兄弟"那屋的门前。都尖起耳朵想捕捉点有意义的声音，可能听见的只是那槐树上知了的重叠成没有间歇的一片叫声……

八点四十一分。

赵师傅铁青着脸回到屋里，报道说："这小子，说是喷完了来跟我解释。我就知道他得来这一手！眼里还有咱们这些邻居吗？"

赵大妈火上浇油地指着窗外说："瞧，查水表的同志来了，这不，也朝他那屋里瞅呢！人家说出去，可不说是哪家哪户喷了黑墙，只说是咱们院里喷了黑墙——他这不是带累咱们了吗？"

李大娘是弹棉花社的工人，心地比较平和，她提出一种克服心理障碍的解释说："兴许他喷这黑浆是打底儿，喷完了这个，他再往上喷白浆！"

八点四十三分。

"嗤——嗤——嗤——"那喷浆的声音继续响着。望过去，那屋里竟是一片黑色。没人听信李大娘的解释，就是李大娘自己，多朝那边望上几眼，心也不禁更往下沉。

这是怎么说的？喷黑墙！在大家伙住的这个院里！你来邪的，你不怕，可你别带累别的人呀！

八点四十五分。

满屋子的人在一点上都共鸣：他不该把墙喷成黑的！屋里的墙壁、顶棚怎么能喷成黑的呢？这种事想都不敢想，可他竟然想了做了，稀奇！古怪！邪魔！外道！半疯！反动！……

赵师傅觉着还是该去报告派出所。不过挪脚之前他又有点二乎。如今的派出所可不如十年八年以前的派出所（那时候似乎没有了派出所，有的是"砸烂公检法领导小组"，不过办公的地方也就是以往和如今的派出所那个院子）。如今的派出所似乎没那么有杀伐，也没有以往那么看重自己，又动不动就讲"按政策办事"，一"按"，这黑墙的事兴许就拖着不给解决，甚至不了了之。所以赵师傅犹豫。可他心里又有一种强烈的冲动——要去报告。这是他不可推卸的责任，也是他必尽的义务。他难道是为了个人吗？他个人能捞着什么好处？……

赵大妈看出了老伴的心情，心里只感觉着辛酸。十年八年前他们是什么光景，如今又是什么光景！老伴如今吃亏在手里没掌握一门技术，所以"补差"只能是去当辅助工、看仓库，干不了多久就让人家给辞回来！是他不好好学手艺吗？不是，过去三十多年里头，尽把他"抽出来"搞运动嘛，动来动去，如今就缺了个挣钱的门道——他以往值得骄傲的全在"政治敏感性"上嘛，如今要发挥一下这个水平，竟从眼里、皱纹里、嘴角里透露出那么多的犹豫，这是怎么着说的！他今儿个这劲头是为了啥？难道是为了给自个儿家捞点什么吗？……

钱大叔则越发认定"周兄弟"是犯了病。他承认自己刚才考虑得不对路。这号病中医不管用。他能让大夫给他号脉吗？不能。所以还是得请西医。可如今医院都不兴出诊，他这情况就难办了，谁能说动他去医院看门诊呢？……

李大娘想回屋再说动他那光知道看小说的大小子，出来拿个主意。也许能把那周兄弟劝得心回意转？那就让大小子帮他再把墙喷成白的。白的多好！怎么能不是白的呢？……

孙老师想回自个儿家里去，可又抹不开面子，不好挪动身子。这事自己得有个过得去的态度，不要弄得将来一查，自己竟是"划不清界线"的人物；当然也不要弄得将来一"落实政策",自己在"周兄弟"面前又成了个"参与错案"的角色。最好是过去、现在、将来都不落各方面的非议。自己来这赵师傅家的"意思"已经够了,就该及时退出,可退出又得不露痕迹,这就难了……

八点四十八分。

赵师傅有个孙子,小名小扣子,才十岁挂零。起头他一直在里屋画画儿,后来倚在通里外屋的门边,好奇地听大人们议论。他觉得这外屋显得又挤、又闷、又热、又乱。他不明白这些大人干吗要这么折磨自己。

正当人们又议论起来,而且气氛再次趋向紧张时,小扣子站到了爷爷身前,他仰着头问:"爷爷,你们在这儿干吗呀?"

赵师傅威严地对他说:"去!一边玩去!没你的事儿!"

小扣子不服气。你们不就是为周叔叔喷墙的事在这儿生气吗?其实周叔叔这人可好了、可逗了。有一回他把我叫到他屋里去,从抽屉里拿出一叠硬纸片来,都有晚报那么大,什么色儿的都有,他一会儿换一张,紧挨着我眼前,让我满眼里全是那色儿,问我:"喜欢,还是不喜欢?""觉着冷,还是热?""觉着干,还是湿?""觉着香,还是臭?""觉着想睡觉,还是想玩?""想起什么来了,还是什么也想不起来?""害怕,还是不害怕?""想喝水了,还是不想喝水?""想多看看,还是不想多看看?"……我答一句,他就往小本本上记一句。你瞧他多会玩!不信,你们都找他玩玩去!

小扣子想到这儿,便昂起头,放大声量说:"爷爷,你们说个没完,累得慌吧?让我跟你们说几句吧!"

大伙儿不由得都停止了议论或思考,都把目光会聚到他身上。

赵师傅赌气似的摆摆手说:"好!你就说吧!"

小扣子便问:"周叔叔他喷完了自个儿的屋子,还挨家挨户来喷咱们的屋子吗?"

八点四十九分半。

大伙全愣住了。

八点五十分。

赵师傅迸出一声："他敢！"赵大妈呼应说："他倒试试！"李大娘和孙老师都连说："那不会，那不会……"钱大叔想了想也说："看样子他不是那号胡来的，他犯病也就是在自个儿家里犯……"

八点五十一分半。

小扣子转动着身子，眨动着一双大眼睛，黑眼仁黑得比那黑墙更黑，黑得发亮，他天真地笑着，尖着嗓门说："这不结啦！周叔叔喷自个儿家里的墙，又不喷咱们的墙，你们跟这儿说他干什么呀？"

八点五十二分。

全屋哑然。

东屋那边传来的"嗤——嗤——嗤——"的喷墙声，汇合着知了的叫声，显得格外清晰。

1982 年夏写于劲松中街

秋　风

有人说，秋风拂过大地，草木凋零，世界便变得萧索了……

有人说，秋风吹过田野，果实成熟，生活便变得充实了……

当秋风梳过樊玉玲的发辫时，她在怎样想呢？

樊玉玲拎着花格子布缝的提包，怀着一种异常兴奋的心情，登上了马上就要开动的火车。

这是一趟短程的慢车。每一个小站都要停上好几分钟。樊玉玲只坐六站。那是S市所辖郊区的边缘。樊玉玲刚从那个远郊的师范学校毕业，刚分到一所农村小学任教。正像一位作家写到的那样：雏燕刚刚离巢，翅膀兴奋而惶惑地扇动……

樊玉玲进到车厢，没走几步就坐下了，坐在三人合坐的最边上的位置。其实那天车厢里不算挤，多往前找找，也许还能找到个两人合坐的位置。樊玉玲顾不上。她身子坐在车厢里心却仍然留在了刚才的礼堂中……

樊玉玲热爱文学。当她从S市日报的夹缝中看到，小说家任友石将于这个星期日在霞光礼堂向文学爱好者作报告，讲授《有关小说创作的几个问题》时，她高兴得不禁"啊哟"出声。当时她是一个人坐在小学校的宿舍里，她被自己那"啊哟"的尖叫逗笑了，不由得瞥了瞥窗外。窗外是紫红的暮色，学生们早已散去，只有临窗的白杨树，呼应似的发出一阵轻微的飒响。樊玉玲决定星期日一大早就赶进城去，听这场报告。为了保证能够成行，她立刻俯身书桌，抓紧批改学生们的作文——那本是她打算利用星期日上午的时间改完的。可是临到睡觉的时候，她忽然想到：她没有事先用工作证到指定地点领票，到时候人家能让她进礼堂听讲吗？窗外已是一片漆黑，时不时从远处传来谁家的狗叫。就为这么个小问题，樊玉玲竟至于忐忑不安，失眠了好久……

可是一切都很顺利。今天天不亮，樊玉玲拎着自己缝的花布提包，小跑着往火车站去了。当她坐在车厢里，这才发觉，鞋子和裤腿都让露水打得透湿。就着列车员给倒的开水，她在车上吃完了自带的早点——四分之一块发面烙饼。火车到了 S 市，樊玉玲几乎是头一个冲出车厢，跑出车站。她问路，遇上的全是和气人，给她指点得清清楚楚。她一点冤枉路没跑，便来到了霞光礼堂面前。开头她有点心慌，因为那礼堂前头空落落的，只有大幅的电影广告上的孔雀公主，在对着她微笑。那微笑是否包含着讽刺：人家都开始半天了，你才姗姗来迟！樊玉玲紧张地跑到传达室，一问，原来离报告开始还有四十来分钟！她红着脸，喘吁吁地向传达室的那个老大爷申述和请求：因为她住在远郊，在城里没有亲友……总之，她没有事先来领票，所以，能不能……没等她说完，那老大爷就告诉她："没关系。到时候你就往里进吧，不至于找不着坐儿！"一听这话，她眼泪都快流出来了。世界上净是好人，他们都肯帮助你，哪怕你是一个远离城市的乡下人，一个没有领到票而又切望听到报告的微不足道的文学爱好者……

她终于听到了任友石的报告。因为来得早，她幸运地占据了头一排正中间的位置。她始终仰着头，望着她所崇敬的作家，贪婪地吮吸着他口中吐出的每一句话……

她没有记笔记。她不羡慕身旁带录音机的人，她也不嫉妒那些能把每一句话准确迅速地记录在笔记本上的人。她相信，凡是那些最紧要的话，她耳朵听进便渗进心里，永不会忘记！

"生活素材好比是珍珠，然而光有一捧散珠子是不行的！你得找到一根红线，把那些珠子一颗一颗地穿起来，才能形成一条闪闪放光的项链！那么，红线是什么呢？

便是结结实实的思想，是你对生活深入思考所形成的扯不断压不烂的深入认识……"

任友石，这位 S 市的著名小说家，他讲得多么精辟、多么生动啊！

等到报告在近乎狂热的掌声中结束时，樊玉玲对这位四十多岁的小说家的崇敬，升华到一个新的高度。不知为什么，这位任友石原本比较猥琐的体态，以及他那轮廓线很不分明的面容，在报告完毕之后，映入樊玉玲的眼中时，却显得那么雄健焕发。她由于一时的迟疑，竟失去了挨近作家的机会。在台口的阶梯那儿，一群捷足先登的文学青年团团围住了任友石。组织报告会的两位同志正耐心地劝阻其余涌上去的人不要再"抢劫作家同志宝贵的时间"。樊玉玲便属于那被劝阻的对象之一。她是不违反任何规定和劝止的。她呆呆地站在已经空下来的一长排座位前，眼巴巴地看着有人如何把笔记本递过去，请任友石签名，又有人如何把事先装妥在牛皮纸信袋里的稿子递上去，请任友石指教……啊，热情、谦逊的作家，他微笑着，飞快地签着名，接纳着稿子，听得见他不断地对崇拜者说："讲得不对的地方请多多批评……""我的水平有限，可不一定能提出中肯的意见……"

也不知怎么一来，报告会的组织者已经把任友石"抢救"出去了。樊玉玲不知不觉地随着崇拜者的潮流跟到了礼堂门外，任友石已经钻进了送他回家的出租汽车，他的面影如一道从云隙射出的金黄的阳光，在车窗里那么一闪，便随着汽车远去、消失了……

等樊玉玲清醒过来，她只觉得手里的提包格外沉重——是的，沉重得她的心都酸痛了。提包里装着她给作家带来的东西，那本是她打算报告一完就跑上去，呈献给他的——不是她有待批改的习作，不是人们想象得出的那类庸俗物品，而是两只各有一斤三两重的大雪花梨。她刚读过任友石发表在省文学刊物上的那篇《雪花梨》，她感到欢喜，感到自豪。因为她所生所长的那片地方，正出产这种梨。任友石在那篇小说中说："雪花梨最大的，能长到一斤来重。"她想把这梨亲自递到作家手中，告诉他："能长到一斤多呢！"当然并不是为了纠正作家在小说里的措辞，而是为了表达她满心满意的感激与钦敬……

然而她不远几百里地提了这梨来，却并未能送到作家的手中，甚至来不及请作家看上一眼。多美的雪花梨啊，金黄的带褐色"雀斑"的表皮，膨胀而匀实的果体，还有那结实的坚韧的梨柄，离得老远，就能闻见它那股浓郁的香气……

火车开出市区了。临窗的乘客打开了车窗，顿时，一股饱含秋意的风涌进了车厢。那秋意，既体现在微凉中，也体现在成熟的庄稼的气息中……

秋风扑到樊玉玲的脸上，她这才彻底地意识到她已经坐在了返回的火车上。

"要想写好作品，就一定要有自己的素材仓库，这仓库里最要紧的存货，应当是你在生活中所接触到的各式各样的人……"随着火车的行驶声，樊玉玲耳边回响着任友石的声音，"因此，聪明的作者总是不放过任何机会，去接触哪怕是仅仅萍水相逢的人……"

是啊！他讲得多好！应当照他讲的去做，立刻！想到这里，樊玉玲抬起头来，注意观察起周围的人来。她旁边原来坐着两个五十来岁的男同志，俩人只顾边抽烟边说话，仿佛没有注意到她的存在。她对面坐着一位抱孩子的大嫂和一位老大娘，她试图向她们笑笑，算是打招呼，可是大嫂和那老大娘正忙着给孩子换尿布，也没有注意到她。

"嘿！看杂志喽！新来的《大众电影》！谁看《世界足球大赛特辑》？谁要《武林》？就这一本了，买不上可别赖我！"

一个看上去只有十三四岁的少年，走到了樊玉玲身边。他手里抱着一大摞杂志。

看那样子，他当然不是列车上的服务员。是帮列车员发卖杂志的旅客？嗯，似乎也不是……

"应当观察了解各种各样的人……"

作家说得对。如果我不用心观察、了解，他过去也就那么过去了，我将永远弄不清他怎么会到火车上来卖杂志……

"让我看看，你都有什么杂志？"樊玉玲活泼地站了起来，把手提包暂且搁到座椅上，友好地问那少年："能让我翻翻吗？"

那少年头上戴着顶鸭舌帽，瘦长脸，翻翻眼瞥了她一下，油腔滑调地说："您翻那么一过，等于看了本彩色画报，按说也该收您个三分五分的——咳，谁让我心善呢，您白翻吧，翻吧翻吧……"

樊玉玲发现他手里的杂志品种很繁，花花绿绿的居多，而且，有的似乎已经不新……

她边翻边问："有文学杂志吗？"

少年不以为然地反问："文学杂志？什么文学杂志？"

"就是登小说、诗歌什么的，"樊玉玲耐心地说，"好比《人民文学》、《小说月报》什么的……"

少年人把嘴一撇："坐火车的谁买那个？头两个月我趸了几本，费死劲才卖了出去……怎么着，你买不买？不买别翻了，瞧进眼里可扒拉不出来了哩！"

"好，我就买一本吧，"樊玉玲抽出一本《银幕与观众》来，问，"多少钱？"

"两毛。"少年人不耐烦地催促着，"快，快点。"

她给他两毛钱。他很快地把那钱装进了胸兜中。

她翻到目录，目录下面是版权页，版权页下面写着定价。每册一角五分钱。

"嘿，"她叫住拔脚正要离去的少年，"这杂志一毛五一本，你凭什么要我两毛？"

"您别嚷呀！"少年忽然心神不定，他翻翻眼朝车厢进口那边瞥了瞥，便突然坐到了樊玉玲对面的那位老大娘旁边，把老大娘往里挤了挤。接着，他就把一大摞杂志死死地抱在怀里，仿佛有什么人要抢走他那些杂志似的。

樊玉玲正在吃惊，列车员提着一把空水壶走进了车厢，随即又走过了他们身边，朝那一边走去了。

少年等列车员走远了，嘘了一口气，全身怂懈下来，坦然地对樊玉玲说："唉，我卖的就是高价嘛。要不，我的饭钱打哪儿来？"

樊玉玲坐回到座位上，仔细地打量着这位少年，盘查他："你这些杂志，来路正吗？"

少年陡然生气了，瞪着樊玉玲说："怎么着，你把我当成什么了？"

"杂志来路正，你干吗怕列车员呢？"樊玉玲问。

少年又忽然笑了。"杂志是从邮局按定价花钱买来的。要说来路不那么正，是嘛，走了点后门。难买的，是阿臭让人家专给我们留的。"

"阿臭是谁？"

"他在十号车厢那边卖呢。我们一人跑五节。"少年人大模大样地从兜里掏出一支过滤嘴香烟来，又掏出一个亮闪闪的打火机，打火点燃了烟，吸了一口，从鼻子里喷出两缕烟来，用教训般的口气对樊玉玲说："我怕列车员你都不明白？咳，我不是没买票，混上来的吗？"

樊玉玲惊呆了。

这便是生活。这便是"各式各样的人"当中的一个。实实在在的。

"一旦你在生活里发现了一个有趣的线索，你便应当顺藤摸瓜，穷追到底。"她耳边又响起了任友石的声音，"一般人可以放过的东西，搞写作的却应当紧紧抓住……否则，你就永远不能形成生动的、深刻的艺术构思……"

是这样。她也写过一些东西，她还不敢送到市里、省里的刊物去，她经过无数次思想斗争，才羞赧地送到了县文化馆刊物的那位编辑面前。真是位好编辑，他不但仔细地读了，还把她约去面谈。他诚恳地对她说："都还不错。我打算选一篇用在咱们的刊物上。不过，总的来说，你的作品思想内容太浅。这也许跟你的生活经历单纯、视野狭窄有关。你把生活和人物都表现得太简单了。看起来，你的心上还没有生出皱纹。心上的纹皱，不应当是衰老的象征，而应当是深入思索的标志……"

眼前的人和事，是否是一次天赐的良机，可以给她那颗纯朴的心，增添上一点思索的皱纹呢？

她决定刨根究底。

"你怎么抽烟？"她弯下腰，俯身凑拢那吊儿郎当的少年，劝告他："抽烟对成年人都有害，何况是你——"

"对。"少年人背诵似的说，"科学家抽样检查，发现抽烟者的肺部癌变率比不抽烟者高出 63.4%——《科学与生活》里登得有，您买不买？我这儿有好几种科学杂志哩！"

　　她忽然怜悯起他来，尽管他努力摆出成年人的谱儿来，可他那没有发育完全的身架和面庞，都充分显露出他仍然是个少年人。

　　"你为什么不上学呢？你每天都来车上卖杂志吗？"

　　"原来上。有半年不上了。对了，现在每天都到车上来卖杂志。多一半的列车员都认识我——"

　　"他们发现了你，把你怎么办呢？要没收你的杂志吧？"

　　"那倒不。他们就是把我们撵下车去。"

　　"撵下去以后，你们怎么办呢？"

　　"在站上买点吃的。吃完了，再混上回咱们城的车，往回返，在那车上卖。"

　　"那你何必怕列车员呢？反正你们也没什么损失！"

　　"那要看在哪儿给撵下去了。要是头一站就给撵下去，你想，我挣的钱够买一个面包吗？"

　　"他们要是不撵你们，你们就坐到头吗？"

　　"当然不。我们总是坐五站就自动下车。"

　　"你爸爸妈妈为什么让你干这个呢？"

　　本来谈话很顺利，一听这个问题，那少年又陡然变了脸色，他扔掉还剩好长一截的香烟，站起来便走，随即听见他用一种油滑的腔调在向车厢那边的旅客兜售他的杂志。

　　樊玉玲心不在焉地翻着手里的《银幕与观众》。啊，这杂志里有个专栏：作家谈电影。然而她此刻读不下去。此刻她希望同无论什么人谈谈生活本身。同座的两位男同志仍然只顾谈他们的话，还大声地笑着。对面的大嫂和老大娘，以及大嫂怀里的孩子，都闭上眼睛睡了——看样子她们都极度疲乏。她能同谁谈谈呢？

　　列车停到了一个站上。乱了一阵，列车又开了。

那少年突然又出现在她眼前，坐到了打瞌睡的老大娘身边。他手里的杂志似乎已卖去了几本。

他好像把刚才的不愉快忘得干干净净了。他从胸兜里掏出一叠钞票来，清点着，然后得意地点点头，把那钞票又收了起来。

"挣了不老少吧？"樊玉玲注意到，他腕上甚至戴着一只电子表。

"还成。"少年坦然地抬眼望着她，反问说，"刚才咱们俩说到哪儿来着？"

真是怪人！

樊玉玲犹豫起来："也许，你不乐意——"

"我是不乐意。"少年又掏出支香烟来，但没有把它点燃，想了想，把那香烟夹到了耳朵上。他叹了口气说："我能乐意吗？不过，您倒是我这么多日子里，头一回遇上的——您总算想到了，我也该有个爸爸，有个妈妈！"

"是呀，"樊玉玲小心翼翼地问，"他们为什么……怎么舍得，让你来干这个呢？"

"有什么舍不得？"少年干脆地宣布，"我是让我妈给轰出来的！"

"为什么？怎么回事儿？"

少年人便讲述了他的经历。讲得干巴巴的。不过听来惊心动魄：他的亲妈还在D县。他爸爸和妈妈是在那儿结婚，并且生下他和他妹妹的。后来他爸爸调到了S市。两地分居了几年以后，有一天他爸爸回到了D县，和他亲妈办了离婚手续。他归他爸，他妹妹归他妈。于是他随他爸爸到了S市。去年他爸又结了婚，于是他有了另一个妈。这个妈对他很不好。简直就是虐待他。半年前的一天，这个妈让他洗芹菜，他洗了。可这个妈却一声接一声地骂他，说他洗得不干净，说他光知道吃饭吃菜不知道干活，说看见他就有气，就脑仁儿疼……他顶撞了一句："您再骂一句我可就走了！"这个妈竟双手往腰上一叉，敞开嗓门骂得更凶了："你倒威胁起我来了！你滚吧！你滚了我还能多活些日子，省得让你活活把我气死！"于是，他头也没往回扭地就"滚"出来了。这一出来他就再没有回去。

除了他再也没有回去这一点，其余的似乎都不稀奇。然而他竟真的再没有回去，这毕竟称得上是奇人奇事。

"你跑出来以后，你爸爸总得找你吧？他怎么不找你呢？"

"我没指望着他找我。他好像也没认真地找过我。"

是的。肯定没有认真地找。樊玉玲在心里分析着：S 市并不特别大，何况这孩子又并没有躲藏起来，他净在人来人往的公共场所活动，只要报告有关部门，大家配合，是不难把他找到的……

"你为什么不到 D 县去找你亲妈呢？"

"我去了"，少年挖着鼻孔，用一种冷漠的腔调说，"我都走到她住的那排宿舍前头了，可我没再往前走，我转身就跑了。看见我妹妹了。她穿着洗得退了色的衣服，端着个盛甜面酱的大碗。我一瞧她那裤腿我就明白了。她那裤腿已经接了两圈新布。还有，她一边端着碗往家走，一边伸出手指头，蘸甜面酱往嘴里送。我妈是个工人。她身体向来不好。她准是常歇病假，拿不上奖金。我干吗跑去让她养活我？"

泪水一下子涌上了樊玉玲的眼眶，她把它强忍住了，否则真会有泪滴从眼角溢出。她是不是太多愁善感了呢？

"所以，我下决心自己养活自己"，少年并没有发觉樊玉玲的心上正在起皱纹，他继续讲述着，"正巧我就遇上了阿臭。他比我大两岁，在小学我们都是校足球队的。他把我带到他们家去了。他们家一共九口人。他爸他妈，还有他两个哥哥、两个嫂子和两个妹妹。天天晚上他们家都得搭地铺睡。可他们不嫌我多。我就住在了他们家。阿臭早就不上学了，他卖杂志卖油了，有门路。他就把我捎上了。我们每天能挣一块多、两块钱。我们用一块钱吃饭，回去以后，交阿臭他妈五毛。剩下的，一个月下来，我还能买烟。三个月下来，我还能买点衣服，还买了块电子表。我过得不错。"

"你就从来没想过你爸爸那个家吗？"

"想过。"少年叹了口气说，"他住得宽敞。三间一厅的大单元。四个喇叭的录音机听着。二十吋的大彩电看着。他跟他老婆，还有他那个新添的女儿，过得美滋滋的。"

"你就从来没遇上过你爸爸吗？"

"遇上过"，少年用一种异样的声调说，"怎么没遇上过！有一回我从邮局趸杂志出来，正巧遇见他从新华书店里出来，唉，他还是那么精神！"

"他看见你了吗？"

"我不能让他看见我……"少年人说到这儿突然不说了，两眼翻翻，本能地把身子缩成了一团。

不知道什么时候，列车员忽然威风凛凛地站到了少年的位子跟前。那列车员是位三十多岁的粗壮的妇女，一望而知是位服务热心而执法严明的老列车员。

"你原来躲到这儿来了。"她严厉地对少年人说，"看起来不狠罚你们一下子，你们就不肯停止非法贩卖！"

少年人站了起来，完全是一副弱者的姿态：耸着肩膀，顺下眼皮，抱着他那一摞没有卖光的杂志。他沉默不语，并不企图为自己辩解。

"列车员同志，原谅他吧，"樊玉玲冲动地站了起来，恳求地说，"我来替他补票，补到第五站。"

少年人和列车员都惊异地望着樊玉玲。

餐车卖饭的推车眼看就要推过来了，列车员想到还有许多事该做，便顺水推舟地瞪着少年人说："车一停下来就下去！要是车开了我还瞧见你，就把你交给乘警——我可是说话算话！"

列车员走了。少年人几乎是活泼地落座在原位上，笑嘻嘻地对樊玉玲挤挤眼说："他们就吃软的！"

樊玉玲心上又起了道皱纹。倘若是她在写小说，她必不忍心这样接着往下写。可眼前的生活就是这样，它不纯净。你刚刚沉浸在怜悯和谅解中，它却又呈现出可恶和令你痛心的面目，使你不得不恼怒而颤栗。

"你——"樊玉玲把脸别过去，简直不知道该说什么好了。

"刚才咱俩聊到哪儿来着？"少年人却仿佛完全没看出樊玉玲感情的变化，他自管接续讲述着，"对了，说到新华书店门前那回事儿。我一看见我爸，我就躲到了卖冰棍的老头子身后。他没瞧见我。他那天挺高兴的，手里提着一大包书。我知道，他准是又去买他自己的书了——他最喜欢到新华书店去看书架上他自己写的那些书，看人家怎么让售货员把那书取过来，买下。要是谁都不买，他就自己买——"

樊玉玲本已凉下去的心猛地仿佛被一个火球灼了一下，她吃惊地转过脸来，睁圆眼睛望着那少年人，脱口而出地问："你爸爸是写书的？他叫什么名字？"

少年人自豪地说："他叫任友石。您听见过这个名字吗？他是写小说的。"

"你——"樊玉玲的心瞬间结成了一块冰球。她从那少年人的面容上，无可置辩地看出了另一个人遗传因素的作用。的的确确，他只能是他的儿子，亲生的儿子。

樊玉玲只觉得眼前一片模糊。模糊之中，又依稀闪动着任友石那正在作报告的面容手势。任友石的声音显得宏亮而空洞，在她周围轰响着。一群崇拜者簇拥着任友石，她惊奇地在那群崇拜者中看见了她自己，她竟挤到了最前面。她看见自己从手提袋里取出了那两只雪花梨来，恭敬地递到了任友石的手里。任友石热情、谦逊地微笑着，把那两只硕大的雪花梨凑到鼻子跟前，嗅着，陶醉地闭上了眼睛。可是樊玉玲看见她自己突然激动地夺回了那两只梨，于是任友石惊愕地望着她，她转身跑了，跑到一个端着一只大粗瓷碗的小姑娘面前。她看不清这小姑娘的面容，却分明看见了她裤腿上那两圈接上去的新布，还看见她伸出食指，蘸着那碗里的甜面酱，往嘴里送，于是她把两只大梨，一下子送到了小姑娘的怀里……

"您干吗哭呢？您这人真是……啊，再见了，您可别把今天我讲的这些话告诉别人，我后悔了……您别告诉任何人，听见了吗？我可不愿意让我爸吃亏！啊，我可得下去了……您记着！"

等樊玉玲用手绢擦过眼睛以后，那少年人已经没有身影了。列车已经进站，并且停稳。老大娘醒了过来，大声地问她："姑娘，到哪儿了呢？"

樊玉玲心里发堵，是不是因为心上的皱纹太深了，使得心脏跳起来格外困难？

……列车又开动了，樊玉玲努力使自己镇定下来。

也许，是遇上了一个善于编织谎言的骗子？

不。他的确是任友石的儿子。

是倒的确是，然而，他还是撒了谎。他离家出走半年多，任友石怎么会不寻觅他呢？

也许，寻觅过，他不愿意让爸爸寻着，总躲着，所以一直没有找到。

然而，一个抛弃亲生儿子的父亲怎么可能心平气和——不，简直是兴致勃勃——地在礼堂里大作报告，大讲什么"红线穿珍珠"啦，"观察，熟悉各种各样的人"啦，"用最美好的感情拨动读者的心弦"啦等等，等等。

也许，作为一个杰出的作家，正在于能够压抑住内心里最剧烈的个人悲痛，而用为大众的心灵增添美好的砖瓦这一神圣的工作，去达到心理和感情上的平衡……

可是，对亲儿子的漠视，又怎能同对大众的赤诚统一起来呢？

列车到了第六站。樊玉玲下了车。刚一下到站台，她便感受到了那花布提包的重负。那重量仿佛不是缀在她的手腕上，而是缀在她的心脏上。

她慢慢地走出了车站，走向田野。她要穿过田野，向她工作的那所小小的、没有围墙的、坐落在村边的学校走去。

秋风拂过田野，拂过她的发辫，拂过她那马上就要发育充足的身躯。

在秋风中，她心中不再是一片单纯的青绿。那里有了飘转的落叶，霜打的草茎。

然而在秋风中，她心中也出现了第一批成熟的果实。饱含着人世的滋味，并且包孕着再一次生长的种子。

也许，她将永世不再写小说。也许，她将成为某些最深刻最动人的小说的作者。

1982 年 10 月 12 日

于北京垂杨柳

蔚蓝色封皮

"劳驾，您给我拿个日记本！"

"日记本？好啊，您要哪种的？"

"这种——呐，蔚蓝色封皮的……"

她也要蔚蓝色封皮的！

郁瑞芳不禁仔细地打量了一下那个挑选日记本的姑娘。她脖颈细长，肩膀瘦瘦的。着样子大概刚刚走向生活。她有多少岁？十九？二十？或者已经到了二十一？

豆蔻年华！当然，古人所谓的"豆蔻年华"，是指十三四岁的少女；现在我们把"青年"的上限提高了许多，二十岁上下的姑娘，便也能使我们有"豆蔻年华"之叹了。可豆蔻究竟是什么东西？郁瑞芳记得有一回查过辞典，那解释竟同自己一贯的联想相距甚远；后来她把那个词目下的说明文字忘得干干净净，依旧保持着头一回看到这个词语时产生的联想：豆棚，鲜绿的豆蔓，在羞答答的半张半合的粉红小花旁边，一根螺旋形的须子，被阳光照得透亮，仿佛那里面汁液的流动，都能看得清清楚楚。

刚刚走向充实的生命。她一定需要许多种本本，听传达和记录会议发言的笔记本，听业余技术讲座的学习手册，开列着亲朋好友地址和电话号码的小记事本……可是还不够，她还需要一个独特的——就是说信息的发出和收录以及重温，都仅仅只关系着她个人的日记本。她也要蔚蓝色封皮的！

郁瑞芳一边收钱、找钱，一边快活地想：我卖给一个姑娘一个日记本，蔚蓝色封皮的日记本……

郁瑞芳在百货商场文化用品部当了十八年售货员。这十八年里有多少年人们不常用这样的称呼了：日记本。

来了个工厂的办事员。"同志，给我三十个笔记本。"不用说，是要鲜红色封皮的。

来了个中年妇女。她犹豫着不知道选哪一种好。郁瑞芳推荐给她两种封皮的——灰蓝色和黑色的，上面都有金色的天安门图案。那其实是与她的年龄、气质相称的。她一再摩挲，显然，她喜欢。可是她还是退给了郁瑞芳，买了个嫩绿色的。"这个出绿的好点"，她多余地解释说，"我是买备课本——得在大庭广众里使呀。"

来了个"红小兵"。再过些年，少先队员们就该不清楚什么叫"红卫兵"和"红小兵"了。他倒是买日记本来了。可郁瑞芳知道那是一种什么样的日记——天天模仿报纸上的某个英雄的日记写上那么几段，天天要送给老师过目，有时还得围成一圈，在小组里朗读自己的和听别人朗读——三分之一的语录，三分之一的套话，三分之一的豪言壮语，偶尔添上一点"斗私批修"的检讨。所以当郁瑞芳盯问他"你买哪种日记本时"，他却改口了："我买天天读本。"不用说，他是个死心眼的"红小兵"，"看、学、问、讲、用、比、查"之类的"七字经"是履行不误的。可他懂得什么是真正意义上的日记吗？

郁瑞芳在好几年里，虽然一如既往地站在柜台里卖本本，却小心翼翼地回避着"日记"这个字眼。不是为了避祸；还不至于因此得祸。也不是为了怕顾客听着刺耳；不会有顾客在乎你用什么称谓来指示那些本本，是为了她自己——她不愿去触碰心灵深处的创伤……

抄家的来了。翻箱倒柜。

郁瑞芳不在家。她那天照常上班，在柜台上。

她父亲郁嘉宾是商业局副局长。他冷静地面对着眼前的事态。

"造反派"从一只箱子里翻出了一个布包，打开布包，那里头是一叠日记本，一律是蔚蓝色的封皮。

"那是我女儿郁瑞芳的。"郁嘉宾用凝重的语气告诉他们,"那是她十七岁到二十岁的日记。每一本开头都有她的签名。她的东西,你们不要动。"

谁听他的呢?他这样说,越发使"造反派"觉得那可能是最能提供他"罪状"的"黑材料"。

他们竟当即"检查"起来。有一个"造反派",高声念出了随便翻到的一页上的头几行字……嘲笑,喧叫……

"你们不能这样!"父亲怒吼了,"我的问题归我的问题。我女儿有什么问题?!这是她的私人日记——你们不能随便翻看她的日记!"

可是他们竟翻看了。不仅是翻看。当父亲被其中几个人"揪走"以后,剩下的两个男性"造反派"爽性打开他家的食橱,在椅子上磕开了酒瓶盖,饱餐了一顿,实行了"进驻"。酒足饭饱以后,他们便斜倚在沙发上,一人拿起一本郁瑞芳的日记,专拣他们觉得有趣的段落,大声宣读起来……

郁瑞芳就是在这种情形下回到家中的。

她的日记!她十七岁到二十岁的日记!她那蔚蓝色封皮的日记!记载着许许多多她最隐秘的心事和情感——连她的父亲和母亲都没有翻看过的……她那朦胧的初恋,她在发育期间的惶惑的心理,她对女友的埋藏在心底的嫉妒和自责,她的幼稚而执著的梦想,她对某些不公平、不合理的事情的未必恰当的反应,她喜欢哪一部影片中的男演员和哪一部小说中的男主人公,她希望能缝制一件什么样的"布拉吉"……

那些当她重温时,常使她羞赧、惭愧或引起她更浓烈更持久的向往和期待的段落,竟然在那样一种情况下,通过两个完完全全是陌生的、粗野的、放肆的、狂暴的异性那沙哑的喉咙,被大声地、怪腔怪调地读了出来……她的灵魂遭到怎样的亵渎!对肉体的凌迟据说是直至清代仍然存在的最凶残的刑罚,可是,又怎能同当代法西斯对灵魂的撕剪相比较呢?

郁瑞芳失去了那五本日记，十七岁到二十岁的日记，蔚蓝色封皮的日记，永远地失去了。有的东西失去了可以复得。甚至被轧掉的胳膊，经过高明的医生的及时疗救还可以再植、复活。可是你怎么能重写你十七岁到二十岁的日记。

当一切都恢复过来以后，退还给了郁嘉宾不少的"查抄物资"，然而里面没有郁瑞芳的那五本日记。这是可以预料到的，因为"造反派"后来用大字报摘录了许多那日记中的段落、句子、词组和词，来证明"有其父必有其女，观其女可知其父"。那大字报一式两份，一份贴在商业局，一份贴在商场。郁嘉宾把高中毕业的郁瑞芳送进商场当售货员这件事，被宣布为"反革命修正主义分子沽名钓誉的一大阴谋"。那五本日记既然派过这样的用场，又怎可能不被拆散、涂画呢？当然，后来这日记算不上什么"过硬材料"，必定被弃置了。谁会去贪污它呢？它不知在何时以何种方式湮灭了。

商场毕竟一直在营业。郁瑞芳也一直在文化用品部卖本册。连续若干年，稿纸滞销，而只印着红色横线的简装信笺却极畅销——当然不是因为人们写信的欲望猛增，而是因为那几乎成了各系统、各行业、各单位用来供人写检查的统一用纸。

也一直在卖类似日记本的本册，绝少蔚蓝色封皮的——虽然深蓝色的不算少。好！没有蔚蓝色的好，可以不至于时时引起痛楚的回忆。

……从那五本日记被抄走以后，郁瑞芳一连十几年再也不记日记。

原来不记私人日记照样可以生活。

在最郁闷的日子里，她爱上了当打包工的陆离。陆离比她大整整十岁。那时候人们都已忘记了世界上还有这么一个诗人，实际上也确乎不见他用笔作诗。后来，当她同他确定关系以后，他告诉她："我仍在写诗。大约一个月一首。我用灵魂写，写完，储存在我脑海里。"他背诵了两首给她听。她流出了眼泪。

那十年过去了。他开始用纸写诗，并且还把写出的诗寄到报刊编辑部去。编辑们越来越欢迎他的诗作，几乎寄去一首刊出一首。电台有他的诗作的配乐朗诵，评论界至少有两个人专门研究他的"创作道路"。他很快再版了一本二十年前的诗集，新出了一本近作。他成了专业诗人，来往信件日渐增多。

郁瑞芳给他买回去一个黑色封皮的硬壳本，对他说："你该把重要的来往信件记录一下。"

"不用。我都记在脑子里了。"他平静地回答。

"咔哒"，他用打火机打出了火，火苗像调皮的红舌头。

他并不是点烟，他把刚读完的一封信点火烧掉。

"何必呢？"她忍不住说。

"惯了。"他回答。

的的确确，他习惯这样。没有日记，没有载有文学界朋友发言记录的笔记本。除非特殊情况，过往的信件他总是读完不久便烧掉。就是他的诗稿，每隔一个月他便整理一次，将无保留价值的统统销毁。

"你还怕什么呢？"有一回她问。

"不怕。"他沉稳地回答，"以前我也不是怕。只是习惯了而已。"

"咔哒"，他又打火，点燃了一张什么纸头。

她读了他新写的一首诗。他的确是不怕。他在战斗中形成了他特有的习惯——谨慎。他没有任何不光明正大的地方，但他得防备那些没有任何光明正大可言的小人——更多的不是为自己，而是为那些信任他的朋友。

没有日记的日子在照样流逝。

是哪一天，当郁瑞芳站在柜台里，望着商场那熙来攘往的人群，心头忽然涌上一个念头："还是该把有的事，有的想法，记下来啊……"

对了。是来了个中年人，个子高高的，鬓角有点斑白，下巴上有颗好大的痣，那痣真像一珠葡萄。他来买日记本——他强调说："好多年没记过日记了。我觉得还是该记……"当时，站在郁瑞芳一旁的小张直乐。买日记本就买吧，还唠唠叨叨……他有神经病吧？

小张是"顶替"他父亲来商场当售货员的。当他头一回站进柜台时，岁数恰好同郁瑞芳当年头一回接待顾客时相等。然而那时的十九岁和这时的十九岁之间绝对不能画等号。

比如说,小张就弄不懂,为什么当年一个商业局副局长把自己高中毕业的女儿送来当售货员,居然会成为报纸上的一条表扬性新闻。郁瑞芳的父亲当时并没有退休呀,她凭什么来"顶替"呢?这不是"走后门"吗?敢情,人家职务是商业局副局长,"近水楼台先得月",有什么说的!小张哪里知道,就连1966年"造反派"把郁瑞芳的父亲"揪出来"时,也没把他送女儿当售货员这件事当做"特权一例",而是用了另一个逻辑:他是"沽名钓誉",以"掩盖他的罪行"。

小张也弄不懂,为什么当一个人决定重新记日记,并且一边购买日记本一边忍不住那样地唠叨,会引起郁师傅那样一种反应——她竟因此而感动,而出神……

小张有一回坦率地问:"郁师傅,到底什么叫记日记?日记究竟怎么个记法?"

郁瑞芳笑不出来,她鼻酸。

……从那个下巴上有一珠葡萄痣的男顾客出现过以后,郁瑞芳开始有意识地在心里统计起来:一个买日记本的,又一个买日记本的……她会故意问:"同志,您是用来听课记笔记吧?""同志,记账可有专门的账本,您要帐本吗?"……有时顾客就直截了当地回答:"不,我记日记。自己用。"她便抬头注意端详一下那买日记本的人。有老年人,有中年人,也有青年人,甚至有中学生。他们都来买日记本,他们要记日记。有的是为子女、朋友而买。郁瑞芳一边向他们推荐着各色各样款式的日记本,一边悠悠地问道:"您买给他们,他们能真的用来记日记吗?"对方或者一笑:"那谁知道!督促他记呗!"或者微微吃惊和不满:"那当然。怎么能不记呢?"

用心统计以后,一周之内竟有近百人明确地为记日记而购买日记本。塑料封皮的已经不大受欢迎,人们有一种"复古"的倾向——更愿意买硬纸壳封皮的,而蔚蓝色、米黄色、墨绿色、深黑色和图案具有"现代派"风味的五种封皮最受欢迎,蔚蓝色的尤其供不应求,她不得不提醒部里的采购员:"嘿!多订点蔚蓝色封皮的日记本!"

……结果这天便来了这么个"豆蔻年华"的姑娘，使郁瑞芳想起了豆棚，想起了绿色的豆蔓，羞羞答答的半张半合的粉红小花，螺旋形的须子，须子里面被阳光照得透亮的流动的汁液，以及她自己的青春年华，她的十七岁、十八岁、十九岁和二十岁，她那记得满满的已经湮灭的五本日记，五本蔚蓝色的封皮的日记……

她不能自制。她产生了一种冲动。

这天，她带着五本蔚蓝色封皮的新日记本回了家。爱人陆离在家。他刚从外地回来。他跑了许多地方，有宏伟的葛洲坝，也有山乡僻壤的少数民族村寨，写出了整整一厚本诗稿。当郁瑞芳进屋的时候，他正在清理走后这一段的来信来件。

陆离欢呼妻子的到来。当他看清她手里抱的是什么东西以后，开玩笑地说："我们急需的是现成的晚饭——你带回来的要是面包和香肠该有多好！"

郁瑞芳把那五本蔚蓝色封皮的新日记本放到桌上，向他宣布："我要重新开始记日记了，从今天开始！"

陆离瞥了一眼桌上的一叠日记本，不禁问："何必一下子买这么多呢？难道日记本还会脱销吗？"

郁瑞芳还没开口，陆离便摆手制止了她——他的目光变得严肃和温柔起来，因为他已经数清那恰恰是不多不少的五本，而且，他深刻地体味到了蔚蓝色封皮所传达出的几乎是无限丰富的情绪。

他们在暂时缺乏面包和香肠的情况下，坐在桌子两边，畅谈了起来。

他转了一大圈。他说他恢复了信心。的的确确，在困难和矛盾之中，在参差不齐和阴阳交错之中，他看到了一种坚韧的力和一种延续下来并扩展着的美。她只是固守在柜台的那小小的一角，然而她也恢复了信念。的的确确，不但是又可以，而且是又应该记日记了。

他鼓励她重新开始记日记。十七岁到二十岁的日记是永远也找不回来了。但从三十七岁开始记下去，心灵的溪流里一样可以涨满春水，把美好的东西浮起来，把丑恶的东西沉下去。

他微笑着说："这日记绝对仅仅是属于你的。我将一页也不看。"

她也微笑着。但她既没有点头也没有摇头。

一个使人能放心记日记的社会主义社会，一个不管日记上写着什么，只要它的读者仅限于记日记者本人，便永远不能成为法律上的依据的社会主义社会，该是成熟的社会主义社会。社会主义民主和法制的实施程度如何，对待私人日记的态度是否也是检验尺度之一呢？……

"咔哒"，她听见一个熟悉的声响。

她定睛一看，陆离读完一封信，又要把它点燃。

"别。"她请求说。

他却还是把它烧了。

"这毕竟不是日记。"他望着手里的一团火，并在接近熄灭时把它扔进了烟缸，冷静地说，"我想，我这个习惯或许会在某一天开始扭转。不过，今天还不是那一天。"

她开始记日记了。每天晚上，只用半个小时到一个小时。她每隔几天便要把前面记的通读一遍。她体会到一种舒畅感和幸福感——尽管她写下的或许是苦恼和惶惑。

她到了柜台上，开始更热心地推销起日记本来。尽管日记本并不是各种货物中最畅销的——最畅销的还是稿纸和集邮册，可她还是埋怨采购员订的日记本花色品种不够丰富，她一再提醒着："嘿！多订点蔚蓝色封皮的！"

你想买一个日记本吗？

请去找郁瑞芳，去她那里买一个蔚蓝色封皮的吧……

1982 年 11 月 22 日

夜于北京垂杨柳

相逢在兰州

好一阵风，从黄河那边吹来，挟带着白兰瓜般的气息。七月的傍晚显得格外凉爽宜人。

一个三十岁出头的男青年，从兰州火车站走出来。轻轻地吹着口哨，朝公共汽车站走去。他是某外事部门的工作人员，刚把几位去敦煌的外宾送上火车。明天一早，他将陪同另外几位外宾飞回北京，返京后，他又将陪同另一批外宾去杭州。这是他在兰州的最后一天，想到当晚没有什么安排，可以自由活动，他把步子迈得更其悠闲。

走到离公共汽车站只有十来米的地方，他停住了。他双手插在裤兜里，斜伸出的左脚轻轻地随着口哨打着拍子，两眼扫视着车站广场上熙熙攘攘的人群。这是他的习惯：他又在实践"选择的必要"了。自从他读过亨利·基辛格的那本《选择的必要》以后，他就常这样来确定自己的下一步行动：把几种可能性列在纵坐标上，把利、弊列在横坐标上，然后综合平衡一番，取利多弊少者实行之。怎样利用这个傍晚呢？他在心里斟酌取舍着：著名的白塔山公园和五泉山公园，都已陪外宾游览过了；到黄河边上散步，到自由市场上去买早熟的"甜瓜倭嘀"（那卖瓜的老乡就这么吆喝，后来问清楚了，应当叫做"铁蛋瓜"）。到小摊上去吃瓤皮子或者牛肉面，这些乐趣也都领略过了；据说雁滩那地方野趣盎然，还没有去过，然而这时候去似乎不一定安全……

　　当他在那里"选择"时，有一位中年妇女匆匆跑过了他的身前。那是一位个子瘦小衣着朴素的妇女，她显然是为了去赶公共汽车。男青年本来没有在意，可是转眼间，突然传来了一声尖叫："唉哟！"他不由得朝公共汽车站望去。原来正当那位妇女伸手去抓车门扶手，准备上车时，偏偏售票员把车门关上了，夹住了那位妇女的手。只见那位妇女满脸怒容，大声朝车里的售票员嚷了起来："怎么回事儿？不让上讲一声嘛！为什么夹我的手？！"售票员却仅仅是把车门松动了一下，让她得以把手抽出，使车门"咣啷"一声在她脸前紧闭。这时不仅那位妇女气得发抖，另几位赶到车站的乘客也纷纷朝车窗里嚷了起来："开门！我们要上车！""干吗不让上？""什么服务态度！"售票员伸出头来，是个烫发的胖姑娘，她理直气壮地说"这车要开了！你们坐下趟！"那位被夹住手的妇女欠起脚，激昂地对她说："我有急事，不能晚，还没响铃嘛，干吗不让上！"偏这时发车的铃声响了，汽车开动起来，胖姑娘扬扬得意地抢白她说："有急事，怕晚，你坐出租汽车去呀！"

　　开始，男青年从旁观望，觉得这不过是几乎每个城市都未能免俗的一种"小镜头"。然而，当那辆汽车开走以后，他惊讶地发现，其他的几位乘客尽管愤愤然、悻悻然，毕竟仍在站牌下等下一趟车，而那位中年妇女，却扭转身，挺起胸，真的朝出租汽车站走去了。

　　一刹那间，那位中年妇女的身姿风度，特别是那面部的侧影，那高而细的鼻梁的轮廓线，猛地击亮了男青年脑海中封存已久的记忆火星，多么熟悉，难道是她？他把"选择的必要"抛到了一边，毫不选择地尾随着那位中年妇女，朝出租汽车站走去。跟随了十多米，他就作出了结论：她是陆秀萍老师，对，就是她。当年，他上初中的时候，陆老师教过他们地理课……

　　唉呀，多么奇怪啊，那么多年过去了，陆老师既没有长高也没有变矮，既没有发胖也没有变瘦。她还梳着最朴素的齐耳短发，还是喜欢穿这种蔚蓝色的衬衣（当然，当年是布的，而现在是混纺的了）。特别令人惊奇的是，她还是那么大的气性。瞧，当她下定了决心以后，她那种挺着胸昂着头，小碎米步紧倒换着去做"傻事"的姿势，真是一点也没有变！

　　……那也是一个夏日的傍晚，为了配合讲祖国的大运河一节，陆老师带着他们班的同学到了通县。他们沿着水彩画般的古运河，唱着歌，念着诗，尽情地观赏着大地上的美景。在那夕阳映照的通州古塔旁，他们围坐在陆老师身旁，一边吃着自带的晚饭，一边听陆老师讲关于大运河的历史和传说……可是当他们回到通县县城的时候，悲剧发生了！负责保管大家车费的，正是此刻尾随在陆老师身后的自己，在去为大家购买回北京的长途汽车票时，都走拢售票处窗口了，一掏衣兜，钱包丢了！在夕阳的最后几缕余光中，同学们闻变哗然，几个胆小的女生，竟至于急得哭了起来，毕竟他们都没出过远门啊！陆老师在售票处通融，恳求答应事后补票，可偏偏那天值班的售票员强调得按规章办事……同学们乱成一团，有的主张集体走回去，有的主张拦截卡车，有的主张有钱的先买票回去，有的建议到公安局去借钱，也有的光是埋怨。这时，陆老师突然右手往左腕上一摸，向同学们厉声嘱咐了一句："不要乱，等着我！"便挺起胸昂起头，小碎米步子紧倒换着，过马路朝一家铺面走去了……当时同学们都不懂她是去干什么，只记得没有多久她就折回来了，告诉大家说："钱找到了，咱们这就买票坐车回去。来，唱一支歌。"说完，她起了个音，就大幅度地打起了拍子，大家合唱起《快活的旅行家》来，把刚才的烦忧全忘了。候车室里的人，个个都惊奇地望着这快活的一群……几天以后，大家才知道，原来陆老师是毅然决然地做了一件"傻事"：她走进正要关门的信托商店，卖掉了自己的手表。

　　男青年回想起这一切，心头涌出一股平日很少有的温情，他不由得在那中年妇女身后招呼着："陆老师！"

　　可是陆秀萍老师并没有听见他的呼唤。一来是因为车站外人声嘈杂，二来她正处于一种亢奋状态中。她从家里出来的时候，刚和爱人拌了嘴。爱人觉得她没有必要出来，她刷完最后一只碗，解下围腰，给了他很重的一句话，还是跑出来了。她怕误了点，一路小跑到车站，却是这么个遭遇！那一头蓬松大髻儿的胖姑娘的面影，此刻还在她眼前晃动；胖姑娘那充溢着冷酷和挑衅的语音，像重锤般敲击在她的心头，并且不断地回响着："你坐出租汽车去呀！""你坐出租汽车去呀！"胖姑娘当然是看出她并非属于坐出租汽车办事的那一档，所以才说出了这样的话。好！就坐出租汽车！陆秀萍挺起胸昂起头，小碎米步子紧倒换着，朝出租汽车站走、走、走……她并不知道有人尾随着自己，气昂昂地来到了出租汽车站。那里停着三四辆出租汽车，紧前边一辆的司机斜倚在车前，正用袖珍小剪子剔指甲缝。

说实在的，当陆秀萍走到那出租汽车跟前的一瞬，她心里也飘过了一丝反悔：何必呢，坐这种车一定是很贵很贵的……可是一种心理惯性使她还是很急促地对司机开口说："同志，我要去……"司机没有改换姿势，打量着她。倘若司机给她哪怕仅仅一句温暖点的话，她也就可以释然一笑，转身重去乘公共汽车了，可那司机却冷冰冰地说："你等等。"说完照旧剔他的指甲。陆秀萍忍不住问："为什么要等？我有急事啊……"司机瞟了她一眼，教训似的说："下趟火车一到，说不定下来好些华侨外宾，我们……"陆秀萍被司机这话一激，坐出租汽车的念头又强烈而执著起来，她抗议地说："内宾有急事为什么也得等？你可以先把我送去，再折回来为他们服务嘛……"

那尾随陆秀萍的男青年，走拢他们身前，看出是这么个场面，便几步迈到司机跟前，亮出点派头，一本正经地说："司机同志，我跟她同路，我是陪外宾的，前天去日塔山，不就是您给开的车吗？"司机一打量他：油黑整齐的头发，端正光润的面容，式样新颖的米色大尖领套衫，挺括的黑弹力呢长裤，白色带网眼的方头皮鞋，先就敬重了三分，再闻到他身上飘散出淡淡的香气，确实同华侨、外宾身上飘散出的那种香气相似，便顿时收起了小剪子，直起身子来，把手一挥说："好，那你们二位就上车吧！"

男青年打开了后车门，请陆秀萍坐进去，陆秀萍这时却犹豫起来，她朝公共汽车站那边瞥了一眼，又一辆汽车刚刚离站，她看了一下腕上的手表，心想也确实不能再耽搁下去，便坐了进去，当那男青年同她并排坐在后座上时，她才听清人家是在唤她为"陆老师"。

她偏过头辨认着微笑的男青年,拢紧眉头,不禁问:"你怎么认识我?"

男青年告诉她:"您以前教过我!"

她仔细地辨认着,还是摇头:"我教过你吗?我怎么一点也认不出来?你是哪一届的?"

男青年笑了:"您不是陆秀萍老师吗?您以前不是在北京工作吗?"

陆秀萍点着头,可她还是想不起眼前的青年是她曾经教过的哪一位学生,她仔细搜索着自己的记忆……

司机扭过头来问:"是去刚才说过的那儿吗?"

男青年抢着回答:"对!对!您开吧!我们都去那儿!"

司机耸耸肩膀,开动了汽车。

男青年对仍在苦苦回忆的陆秀萍说:"您忘啦!那时候,您刚从师范专科学校毕业,刚到学校教书吧?我是您教的头一批学生里的一个……大运河,通州古塔,长途汽车站……是我把全班的车票钱弄丢的,您想起来了吗?那个卖票的人多不通情达理啊,您一气之下,不就把手表摘下来了吗?"

"啊呀!是你!"陆秀萍把刚才的一腔火气抛到了车外,惊喜得忍不住拍了下巴掌:"天哪!慕容音!你简直从丑小鸭变成大天鹅了!你自己不说,我怎么能认得出你哟!"

她望着这个简直完全变了样的学生,无数往事袭上心来,慕容音,好一个淘气包!有一回,她去给他们班上课,抱着一个地球仪,推开了教室没关严的门,结果,一个足球从那门上掉了下来,正砸在她手中的地球仪上,她一慌,地球仪没有抱稳,掉在地上,摔坏了。她顿时大怒,立即站到讲台前,声色俱厉地问:"岂有此理!谁干的?!"事情刚发生时,还有人笑,她这么一来,教室里变得鸦雀无声了。班长站起来,向她报告说:"是慕容音把球搁到门上的。"她立即让慕容音站起来,大动肝火地把他批评了一通,慕容音顶嘴说:"我想开个玩笑……我没故意砸地球仪嘛!"她说:"地球仪是公共财物,你损坏了公共财物,应当感到痛心,应当赔偿!"慕容音还犟嘴："我又不是故意的！我不赔！你有能耐找我家长去！"她于是立即宣布："这节课改上自习，下午自习课补这节课！"拿着摔坏的地球仪，出了教室，径直来到传达室，立刻给慕容音的父亲挂了个电话。慕容音的父亲是个副局长，正在开会，但耐心地接了她的电话……那时她才二十一岁，比教的学生大不了多少。她的这一行动，在都是教师会上引起了争议，有的说这是耍"姐姐脾气"，不足为训，而校长却肯定了她的责任感与魄力……

慕容音在陆老师脑海中闪过上述一连串回忆的同时，他的脑海中，也相应地闪过了"地球仪事件"前后的种种场景。后来他父亲不但亲自带他去教学仪器商店买了一个新地球仪，给学校送去，还同陆老师坐在一起，你一言我一语地给他讲了一大通道理。讲的是些什么话，他当然早已忘光，但陆老师那稍微有点斜睨的严肃眼神，那仿佛划破空气有助于她向前挺进的高而细的鼻梁，以及那整个体现着人民教师尊严的体态，却从此深深地烙在了他的心上。说完了话，陆老师把那砸坏了又修复的地球仪给了他，同时说："这个你拿回家去吧，欧洲部分是我补上去的，可能不太准确了……"后来因为有了这个地球仪，慕容音竟爱上了地理课，并且还当上了地理课代表……

"陆老师，多少年啦？啊呀，十七年了吧？"慕容音忍不住说，"真没想到，能在兰州遇上您！您还在教书吗？"

陆秀萍点头说："当然。还教地理课。"

慕容音回忆说："记得我们快升初二的时候，您忽然宣布说您要到大西北去。我回家捧着您给我的那个地球仪，仔细地用尺子量，按比例尺算路程，算完了，心里别提有多难过了。从北京到兰州，跟从北京到平壤、到乌兰巴托差不多啊！当时我翻来覆去地想：您为什么舍得离开北京，到大西北去呢？是什么在吸引着您呢？"

陆秀萍也眯起眼睛，陷入奔腾翻涌的回忆之中，沉吟地说："那一年我不满二十二岁，跟着当年师专的几位同学，去拜望一位老前辈。他当时正担任着大西北的领导职务，去北京开会，在招待所里同我们见的面。我还记得那间屋子里的沙发，是那种笨重的老式沙发，坐的地方不够，男同伴们就跳到窗台上去坐着……他说到大西北多么辽阔，有着多么丰富的宝藏等待我们去开发，说到大西北多么需要有志气的青年来参加建设，特别说到需要发展大西北的教育事业，需要年轻有为的教师。结果，我们的热血立刻就沸腾起来了，当场就要求他把我们调到这大西北来工作……"

"真的吗？"慕容音大吃一惊，"你们当年就那么轻易地作出了决定？"

"确实就是那样。"陆秀萍告诉他，"我们当时就有那么单纯、那么忠实、那么勇敢……当然，临到真的行动起来时，有两个人因为家里拖后腿，打了退堂鼓。可我们剩下的五个，真的打起背包，一边衣兜里揣本地图册，一边衣兜里揣把口琴，跟着那位老同志，到这兰州来了……后来我和当中的一位，在这里成了家，现在我的大女儿，也快有你当年那么大了！"

"这么说，您和您爱人，后来就一直在兰州教中学啰？你们简直一点也不懂得'选择的必要'！……"慕容音心里充满了同情乃至怜悯。经过这十七年在社会里的摸爬滚打，当年那种对老师的神秘感和神圣感，早已化为乌有。他懂得，在农村，中学教师或许还因为挣工资和有学问而受人尊敬；而在城市里，他们属于知识分子的最下层，工资待遇低，社会地位低，而且往往"走后门"、拉关系这类的活动能力也低。慕容音回想起他们从外语学院毕业时，不止他一个，在宿舍里铺开一张八开的大纸，纵坐标上写出可能分配到的单位，横坐标上列出"社会地位"、"工资前景"、"福利"、"劳累度"、"流动性"、"与业余爱好的结合度"等栏目，"综合平衡"了一番，那"无一利而有多弊"的项目，便是"当教师"。教师这个职业躲都躲不及呢，更何况自愿跑到这西北高原来当一辈子中学教师！慕容音的同情与怜悯，超越了陆老师夫妇，而普及于他们那一代人。他这时再仔细观察陆老师，便顿觉她毕竟苍老而憔悴了，就连那显示着她独特性格的高而细的鼻梁上，也出现了一些细碎的皱纹。

陆秀萍没听懂慕容音的话，她问："什么'选择的必要'？你是也到兰州来工作了，还是……"

慕容音尽可能按捺住自己得意的心情，但语气里还是掺进了不少炫耀的成分："我是最后一届'工农兵学员'，毕业的时候，我选择了外事口。现在是整天和外国人打交道。唉，烦透了！几年里头，除了宁夏、青海、西藏、贵州，把全国几乎都跑遍了！像这兰州，头一回来，还有个新鲜劲儿，像那杭州、桂林、黄山、庐山、广州……去好几趟了，老住同一个宾馆，参观同样的地方，听同一个人讲同样的内容，按同一个游览路线游览名胜古迹……真是去怕了！今年春天，我陪咱们的一个出访团，去了趟日本，那倒挺来劲的。我们去了东京、京都、奈良、大阪、神户、广岛……对了，陆老师，我记得您以前给我们讲课，讲到日本，绘声绘色地给我们形容奈良城的景色，告诉我们那里养了很多的鹿；还有个唐招提寺，是模仿中国唐朝时候的寺庙盖的，这回到了那儿，真好像旧地重游似的！遗憾的是欧洲、北美还没能去过，不过干我们这个工作，机会总是有的……"

陆秀萍默默地听着，一时没有说什么。自己的学生，成长起来了，从事着这么有意义有意思的工作，她当然感到高兴。可是一想到出租汽车司机对他和对自己竟是两种眼神、两种态度，而这类的遭遇已不是头一回，心中便漾出了一种复杂的感触。

他们又聊到一些当年的事情，陆秀萍一边应答着，一边朝车窗外仔细观望。忽然，她招呼司机："同志，就停在这儿吧！"

司机把车停靠在了马路边上。他很纳闷：这里既无宾馆也不是医院，甚至连个大点的商店也没有，也没有什么机关，这位女乘客究竟干什么要坐出租车来这儿呢？

慕容音随陆老师下了车以后，才意识到自己刚才和久别重逢的老师说了那么多话，却偏偏忘记了问她要来这里干什么。可是一时也来不及问了，因为司机算出了车费，正把手伸出车窗，向他们要钱。

"陆老师，我来给吧！"慕容音一边说一边掏出蛇皮钱夹。他忽然意识到，他十七年前欠陆老师的那笔车钱，现在正是一个偿还的机会，所以态度十分坚决。然而陆老师却使劲打了一下他攥钱包的手，抢在前头把五元整票递到了司机手中。陆秀萍在车子快要到达目的地时，手已经伸进衣兜捏住了那五块钱。那本是准备用来买棉花的，高原上寒流来得早，她打算一放暑假，就为全家翻拆、加厚棉衣……在车上的最后一段，她同慕容音谈话时有点心不在焉，慕容音猜想她是不是听了自己的情况，有点自卑。其实她心中涌动着的恰是最强烈的自尊。她命令自己：既然已经真的坐了出租汽车，那就一定要缴付全部车钱！回到家里以后，也许爱人一时不能理解和谅解她，给她增添新的烦恼，那也在所不惜！他最终总该释然的吧！记得前几年他们去百货公司，她请售货员把一种驼色的男式围巾拿过来看看，售货员斜了他们一眼，大约是嫌他们的衣着寒酸吧，爱搭不理地说："那可是纯毛的，十五块钱一条哩！"她当即挺胸往前一站，掏出二十块钱递过去说："给拿一条吧！"回到家，她把爱人推到墙上的旧镜子前照着。爱人本来是一路埋怨着的，及至面对着镜子，终于同她一起孩子般地笑了。可见爱人对她今天的又一次"犯傻"，不是没有理解并谅解的可能……所以，下了出租汽车，她就把那五块钱抢先递到了司机手中。

谁知司机接过那五块钱，依旧伸着手说："还差三毛五！"

这很出乎陆秀萍的意外，她一边搜索着衣袋，把本来准备坐公共汽车的两毛零钱也递了过去，一边禁不住抗议说："这么贵！怎么这么贵呢？！"

司机鄙夷地望着她说："嫌贵，你怎么不坐公共汽车来呢？"

慕容音坐惯了出租汽车，懂行。他知道司机没有算错，像这么一段路，是得花这么多钱。他赶紧从钱夹里掏出一毛五分钱递了过去，对陆秀萍说："我给补齐吧！就得这么贵哟！"

司机把车开走了，陆秀萍多少有些尴尬。慕容音这才有机会问："陆老师，您急着来这儿，有什么急事吗？"

陆秀萍伸腕一看手表，不由得"啊"了一声，弄得慕容音也紧张起来。他连连问："怎么？晚了吗？什么事这么急，不能晚？"

陆秀萍告诉他："开演时间已经到了。我得赶紧进去了。"

慕容音先还没弄明白，可是他略一环视，便发现他们正站在离一条巷子不远的地方，那巷口分明还画着些电影广告，并且有一块牌子，上面的箭头指向胡同里面，说明那里有一所电影院。那一定是一所设备并不高级的低档电影院。难道陆老师不惜花五块多钱到这里来的目的，就是为了进那电影院看一场电影吗？

可是转瞬之间，慕容音又感到恍然大悟，还用说吗？准是那电影院里，正开映"参考片"。你想连北京都有那么多人迷"参考片"，何况在这大西北的兰州！又何况陆老师这种难得搞到一张"内部参考片"票的中学教师！而且"参考片"在北京也是尽量找一个不引人注意的偏僻的场子来演……于是他问："陆老师，什么参考片啊？"

陆秀萍一边匆忙地朝巷子里走去，一边对他说："你大概不会想看的……"

慕容音把她的意思理解成了"你在北京看过那么多参考片，这里的参考片对你来说怕是早就看腻了的……"的确，这事也有"选择的必要"，倘是《刑警队》、《昏迷》那一档的，他大可放弃；可是如果映的是《星球大战》、《超人》这一档的，则何妨混进去再看一遍……

陆秀萍显然对慕容音紧紧随着自己，有点感到奇怪。她停住脚对他说："今天遇上你，看见你长大成材，很高兴。可是我得去看电影了，咱们再见吧……"

慕容音笑着说："今天晚上，我反正没事，我到电影院门口试试，要是能跟他们说通，放我进去，我就也看一场！"他想，自己那从事外事工作的证件，也许能起些作用。

"说什么，你要看，买张票进去就行了嘛！"陆秀萍见他兴致这么高，便又同他一齐朝巷子深处走去。

走到电影院门口，只见冷冷清清没个人影，因为电影已经开演，票房也关上了小窗，慕容音这才感觉不像是在演什么"参考片"。陆秀萍见他似乎又没了兴致，便主动同他握了下手说："好，再见吧，我进去看啦！"

陆秀萍进去以后，慕容音走拢票房前头，仔细看小窗户上头写的告示，原来六点四十的这一场，演的竟是"新闻片集锦"，怪不得没有多少人来看。弄清楚确实不是演"参考片"以后，慕容音对陆老师跑这么远来看这样一场电影，更觉得不可思议，心里顿时产生了一种追究到底的劲头。他敲敲票房的小窗，挡板移开了，里面一个花白头发的老头惊讶地望着他。他问："这一场还有票吗？"老头瞪着他说："多的是，你要吗？""给我来一张！"他买了一张一角钱的票，走进了电影院。

进了场子，检票的不给他找位子，对他说："随便坐吧！"他站在过道里，等待自己的瞳孔变大，渐渐地，他看出整个场子空荡荡的，观众大约不足一百人，稀稀拉拉地分坐在各处。他注意到，离他很近的地方，有一对年轻的恋人紧靠在一起，低头喁喁细语，他们显然并不是真为看电影来的。他在过道里缓缓朝前走，仔细辨认着观众，陆老师坐在哪儿呢？后来，他终于在第十排那儿发现了陆老师，因为同一排上坐的人比较多，不便于挤进去了，他便在后一排挨过道的位子上坐了下来，坐下来以后，他才朝银幕望了望，原来正在演一组短新闻片，大约是《今日中国》之类。他又朝陆老师望去，咦，奇怪，陆老师竟俯身前一排，把双臂架在前面的椅背上，把头埋在了臂弯中！她不惜坐出租汽车来这个电影院，而坐在电影院里，她却又并不朝银幕上看！多么奇怪啊！

慕容音在座位上坐了一会儿，终于坐不住，站了起来，他朝陆老师望了最后一眼，便走出了电影院。夕阳映照着电影院前的巷子，从很近的地方散发出一股浓烈的牛肉面气味。他缓缓地朝巷子外走去，边走边想：也许，陆老师在生活中遇到了什么突然的变故，她的神经系统有些承受不了，才会有这种举动吧？这都是不懂得"选择的必要"所致！好，不去管她，现在还不到七点钟，到哪里去消磨最有收获？可得快些作出选择……

当慕容音走出那条巷子的时候，电影院里还在继续放映《今日中国》。陆秀萍事先不知道前面要加映这组短片，这组短片恰好她不久前看过，所以她把头埋在臂弯中，努力使自己的思绪平息下来，以便可以集中精神看那她生怕漏掉开头的一部介绍喀斯特地形的新片……

可是她愈想使自己思绪平息，便愈忍不住回忆着这个傍晚直到目前为止的种种遭遇。当她告诉爱人，她上午在为学校购置教学仪器的路上，趁便买了这场电影的票时，爱人扬起眉毛，埋怨她说："你这是何苦！加上来回的车钱，这张票够咱们一天的菜钱了！"小儿子不懂事，听说有电影，跳着脚嚷："我也要看！我也要看嘛！"

大女儿毕竟懂事，把弟弟拉到屋外玩去，才算解了围。她听着爱人的唠叨，默默地切菜、炒菜，心里想：他当年那种不计利害、义无反顾的劲头，难道如今都消磨光了吗？记得当年恰恰是他，额上挂着汗珠，胸膛剧烈地起伏着，一路奔跑着来到她家，激昂地对她说："我办好手续了！你呢？你打退堂鼓了吗？"应当说，就是在那一刹那，她彻底地爱上了他。她望着他那对扬起的眉毛和眉毛下那双炯炯有神的眼睛，简直是喊着对他宣布："我当然不打退堂鼓！我明天就去办手续！"……当晚，他挽着她，久久地漫步在天安门广场。记得后来下起了小雨，长安街上的华灯，在小雨中格外像簇簇巨大的兰花，他们没有去躲雨，而是继续昂首挺胸地在长安街的人行道上前进，并且一起哼唱着："我们年轻人，有颗火热的心！……"

她也还记得，从北京出发后，当他们还在火车上的时候，他就摊开甘肃省地图，指着那些最偏僻的地方，真诚地对她说："我们应当到这些地方去！我们要学会用牛粪烧火，要习惯喝奶茶！也许，我们该穿上藏族的服装，那样，我们就更容易和群众打成一片了……嗬，你要是穿上藏族姑娘的筒裙，该有多美啊！"她虽然用拳头敲了他的肩膀，然而，并不以为他的建议荒唐。她心里洋溢着的罗曼蒂克情绪，并不比他稀薄……

省里把他们留在了兰州，他们还为这种照顾闹过一阵子情绪呢！可是，怎么能忘记那个下午呢？一位学生家长，为儿子记过的事来找陆秀萍求情，他竟然压低嗓音，以推心置腹的语气说："……你们要没有出点岔子，也不会双双被打发到这大西北来嘛！谁能保险自己一辈子不栽筋斗呢？所以，对别人，也还是高抬贵手的好……"当时她气得两手直发抖，然而后来竟时常听到类似的打探的窃议……

高原上的风，吹糙了他们的皮肤；高原上的暴热暴冷，磨炼了他们的适应力；高原上的持续干旱和黄水陡涨，强健了他们的神经；粗茶淡饭，"荆钗布裙"，这一切他们都习惯乃至于引以为乐了。然而现在那潜在的危机，不就别的，正是某种内心激情的熄灭……为她出来看一场电影，爱人竟显得那么狭隘、计较。依然是那一对双眉，不是为鼓励她勇敢地进取而扬起，依然是那一双眼睛，不是为激励她执拗地追求而闪亮。十七年过去了，难道不仅他额上、眼角出现了皱纹，他的那颗心，也出现皱纹了吗？

"你何必呢？不看，对你又有什么影响呢？不看，只浪费掉一毛钱；去看，却要浪费……"

她听不下这种缺乏热情，缺乏想象力，缺乏情趣，缺乏魄力的话，终于忍耐不住，拍拍衣襟，扭过头就往门外走，并且甩给他一句够他回味好一阵的话："如果你这么想，那么，当初我们又何必呢？！"

她一路激动着跑到汽车站，很怕误了场，没想到却被那么无情地夹了一下。当那胖姑娘伸出头来申斥她时，那几秒钟里，她脑际还飘过了爱人有一回发的议论："我们在学校里傻拼有什么用？社会这所大学校的风气搞坏了，我们小学校是无能为力的……"她觉得那位胖姑娘的行为和态度，竟验证了爱人那被她竭力批驳过的论断。她痛心，她不甘认输，她要立志同这种"大学校"里的坏风气拼搏！而且，不管碰上多么糟心的事，她也要不惜代价地来看这场电影！于是，她被那"你坐出租汽车去呀"的话一激，便又一次作出了"傻事"……

没想到在出租汽车旁竟戏剧性地与昔日的学生邂逅。他在搞外事活动！他去了那么多的地方！而自己，教了十七年地理课，除了带学生去过北京、兰州市郊，竟简直再没去过什么地方！记得大前年好不容易自费回了一趟北京，探望双亲，邻居们都来问候。听说她在甘肃工作，便都问她敦煌的情况，当她说自己并没去过时，他们都表示吃惊。是的，她直到今天仍然没有去过，尽管她在课堂上无数次讲到过敦煌，然而她却没有财力去做一次敦煌之游！

所以她来看电影。从她还在师范专科学校史地科学习时，她就不放过每一部能看到的风光片。有时就是看新闻片、科教片乃至故事片，她也是从地理学的角度，来看那里面的风物人情的。这对她来说，是一种必不可少、受益无穷的业务进修。每回看完这样的电影，她回去都要记笔记，这样的笔记竟然已经积攒了五厚册之多！像慕容音提到的关于日本奈良的那些风光，她最早就是从一部梅兰芳访问日本的纪录影片中看到的。梅兰芳在日本唱了些什么戏她早已忘却了，然而那些风光景物，她却至今记忆犹新。

这些年来，电影院很少集中放映这类影片，所以，当她发现这家电影院有这样一场节目时，她就下定决心要来观摩。没想到，为观摩这场电影，她竟遇到了这么多的波折！

《今日中国》映完了，陆秀萍直起身子，抖抖头发，靠在椅背上，全神贯注地观看起她本以为开演就映的那部片子来。如果这时慕容音还在电影院，从旁看过去，就会发现陆老师的眼睛闪烁着异样的光彩，脸上洋溢着渴求与满足交织的表情。这身材瘦小、相貌平庸、职业低微、物质生活显然较为贫乏的中学地理教师，此时此刻，内心里却充溢着一种精神上的富有感！

这天晚上，当夜幕降临很久以后，慕容音写好一封信，走到招待所门口的邮筒前投信。他意外地看见，陆老师正从对面的人行道上走过。他立即飞跑过去，大声地招呼："陆老师！"

陆秀萍从漫步冥想的状态中惊醒过来，定睛一看，居然又是慕容音，不由得笑了起来："怎么又碰见了你？天下有这么巧的事？"

慕容音问："陆老师，电影早就演完了吧？您怎么没坐车回去，您难道是从那儿一直走到这里来的吗？"

陆秀萍点头说："不错。电影早就演完了，出了电影院，我掏遍口袋，发现身上一文不名，于是我就决心走回家去。"

"怎么？！"慕容音吃惊不浅，"您身上原来就只有那五块二毛钱？那您干吗非要付那车费呢？"他赶紧掏钱包，激动地说："陆老师，您家在火车站附近吧？走过去至少还得四十分钟，我看您已经很累了，来，别再跟您教过的学生客气，给，收下吧，您坐车回去！"

可是陆秀萍坚决地推开了他的手，微笑着对他说："那么多的路，我都走过来了，难道前面的路，我还畏难么？我要一步一步地走到底！"说完，对他点点头，竟把腰板挺得更直，步子迈得更潇洒，踩着路灯在地上绘出的叶影，顺着那寂静的人行道，朝前走去了。

　　慕容音呆呆地站在那里，望着她那渐渐远去的背影，起码是暂时忘记了"选择的必要"。

1982 年 1 月写于垂杨柳

登丽美

一

据说我们这个城市公开发行的报纸杂志已经接近一百种，而几乎每一种都欢迎这样的稿件——鼓舞人心的、表现社会主义新人的报告文学。前两天我偶然翻开一本医学杂志，仿佛是专门谈抗菌素的，那"头题"便是一篇报告文学。当然，介绍的人物是与研制抗菌素有关的——你看，报告文学真是无所不在、无处不尊。

"唐诗宋词今报告"，我们的副主编说话不夸张就活不下去，他拍着我的肩膀，向满屋子的人宣布："我们的杂志下期一定要报告文学打头！那些名家我们一时抓不着，可是我们有现成的小方——焉知小方以后不是报告文学的新星？且把他撒出去，一个星期为限，让他带着稿子回来，如何？"

编辑部的同事们一阵巴掌哄笑，便把我真的撒出来了。

我倒是试着写过两篇报告文学，都发在外地的刊物上，一来我对写报告文学确实有兴趣，二来也觉得"胳膊肘该往里拐"，所以得了这份差事以后，不仅欢喜，还真卖力气。

"现在报告文学写干部和知识分子的居多，我想我们选题上不妨另辟蹊径——我去商场采访个售货员如何？"

"商业题材？"副主编眼珠一转，"预计两个月以内准还是冷门——小方哇，妙哉！"

二

丰华商场的副经理老冀见到我十分高兴。

"难得你们想到了我们这一行——说实在的，我们这儿值得你们写的人物还真不少。"老冀顺手从桌上翻出一份材料递给我，感叹地说："多感动人的精神境界呀——真是头名副其实的老黄牛，光知道往外挤奶，不肯多吃一根草！"

看了市场宣传科整理的那份材料，听了老冀的一番介绍，我对牛师傅不禁肃然起敬。

这位曾在旧社会庙会上饱受地痞欺凌的老师傅，自从吸收入丰华商场当售货员后，二十几年如一日辛勤售货，他最突出的事迹，就是有了病痛从来不上合同医院看病取药，总是自己掏钱买一点小药吃吃，带病坚持上班，从不请假；按规定他老伴看病吃药的费用可以拿到商场报销，可他从没有报过……

"他为什么这样呢？"我问老冀。

老冀抵着下巴说："一是他具有中国劳动人民的传统美德，清心寡欲，埋头苦干；二是他对党对社会主义充满感情，他自己说的嘛，'我报销医药费干吗？没有共产党，我小命早撂庙会里了！'……"

我觉得关于从不报销医药费这个素材可以当做文章的"戏核"，只是还得顺老冀提供的线索往他心灵深处开掘，否则文章的主题会流于一般的。此外，我还需要生动、独特的细节。

我把想法说了。老冀似乎比我还着急，他立即提供了一个细节。商场头一次发奖金时，牛师傅说什么也不领。他说："我有那份工资就知足啦，不给我奖金我也好好干哪……"结果，为了骗取他在领单上签字，组长故意遮住领单的上半截，问他："牛师傅呀，您那个名字'牛世襄'，究竟是哪个'襄'字？'乡村'的'乡'，还是'湘江'的'湘'，还是'金镶玉'的'镶'？"

牛师傅会写的字不多，听组长问了这么一大串，他也说不清了。组长把笔递给他，他便在领单下半截认认真真地写了一遍自己的名字，写完又检查了一遍以后，才抬起头对组长说:"是这个'襄'。"

组长忙把领单收回,把他的那份奖金交给他,并且宣布说:"您不要可不行了——您签字了呀!"

他这才算领了那头一回奖金。据说后来他把每次的奖金都存进了银行,去年号召买国库券的时候,他把全部奖金都取了出来,买成了国库券。

"什么是主人翁精神?"老冀总结说,"这就是啊!"

老冀鼓励我把牛师傅写出来,我很庆幸刚到商场接头便有了现成的素材,我正打听可以何时到何处找牛师傅直接采访,桌上的电话铃忽然响了,老冀拿起了电话。在我面前一直蔼然可亲的老冀,没听对方说上几句,陡然发起火来,我听他敞开嗓门训斥那边说:"不行!……不是早跟你们说过不行了吗?!……简直胡闹!……用不着!……以后没正经事别往这儿胡挂电话!"

重重地撂下话筒以后,老冀摇着头对我说:"不像话!你知道打电话跟我要求什么?要求我批准她们报销!……"因为气愤,他使劲划燃一根火柴,点燃一支香烟。

"是谁?要求报销什么?"我摸不着头脑。

"你常看那晚报吧?"老冀对我说,"晚报夹缝里不是登的有那号小广告吗?私立学校,教点子什么技术,晚上开课,一礼拜两三次、三四次,每次两个来钟头,收学费,不便宜哩,三个月就得二十块钱……我们商场有那么几个疯丫头,报名上那种学校,竟然要求商场给报销学费!"

"真是岂有此理!"我不禁愕然,"亏她们开得了这个口!个人上私立夜校,公家怎么能报销!"

"就是呀,"老冀回到正题,"所以我支持你赶紧把牛师傅好好写一写,教育教育她们这些小年轻!"

我看了看表:"五点多了。牛师傅在柜台上吗?我能不能这就同他见见面、扯一扯呢?"

"牛师傅快到退休年龄了,身体又不好,打去年'十一'以后我们就不让他站柜台了，让他专门在商场值夜班，"老冀给我建议说，"他家离这儿挺远，你今天赶到他家他怕也出发往这儿来了。要不，你就今晚上在商场先跟他扯一扯，过一两天再去他家里，怎么样？"

就这么办。

三

《不肯多吃一棵草》？俗！像通讯题目，没有文学味儿！

《乳汁，默默地流淌着……》？啰嗦！缺乏新意！

《有谁知道他》？空泛！凡写不知名的人都可以用这个题目！

《被骗取签名的人》？有点味道了！不过，别的材料是否都能往这题目上靠？

我一边在丰华商场附近的餐馆里用餐，一边为待写的报告文学设计着题目。当然，我还并没有见着牛世襄师傅呢，不过，据一位报告文学名家说，他往往在走向采访地点、采访对象时，便开始了对未来作品的构思……名家的经验谈毕竟不可忽视，为把文章写好，我确实得分秒必争。

用完餐，一看表，已然七点十分。商场七点关门。现在去，值夜班的人肯定已经在那里了。

我从侧门进入了打烊的商场。传达室里值班的人看了老冀给我开的条子，准许我进入里面。他告诉我牛师傅在二楼值班。

到二楼自然得先进一楼。

我推门进到一楼，没走上几步，先听见几声喝问："谁？"又听得一声尖叫，接着是一阵慌乱的脚步声，倒把我吓了一跳。

问我是谁原很自然。一楼值班的人见了生人当然该问。可见了我便尖叫以至逃跑，这就奇怪了。

一瞥之中，我看见一楼卖成衣的柜台里外，有好几个姑娘，其中一个仿佛只穿着棉毛衫裤，尖叫的大概就是她，她原来仿佛坐在椅子上，随着尖叫便消失在货架之后了。

我站在那里，大声地自报家门，并告诉她们我来是冀副经理同意的，并且已将老冀批的条子交给了传达室的同志。

我刚开口，那几个姑娘便开始笑。及至我说完，她们便爽性大笑起来。

打烊后的商场关掉了大部分的灯，只有她们聚集的地方被灯光照得雪亮，这情景使我觉得仿佛面对着一出戏的舞台；她们的笑声在宽阔的大厅里引出一连串回响，使我产生了一种异样的感觉。

我本能地朝她们那里走去。走近了，我才看清楚，不包括那尖叫着躲进去的一位，她们一共是五个人。我不明白一层楼何以要这么多人值班。

她们都穿着商场的工作服，那颜色比米黄深、比土黄浅，好像满城的售货员都穿这种颜色的工作服，不知这颜色是谁规定的，我觉得很难看。由于她们都穿着这样的工作服，一时我分不清她们的模样。

首先引起我特别注意的是一位胖姑娘，她长着个翘鼻子，满脸雀斑。她毫不客气地望着我说："你这个人，来得真不是时候！"

"怎么？"我不明白，我这时候来妨碍了她们什么，我重申，"我是来访问牛世襄牛师傅的。"

"知道！"那胖姑娘不以为然地说，"牛师傅，老黄牛！你访去呗！不过……"她嘻嘻地笑了起来，"你干吗不捎带脚地访问访问登丽美呢？"

那几个姑娘本来就没停止窃笑，她这话一出，便都又开怀大笑起来。

其中一个没怎么笑，她挥拳朝胖姑娘肩上捶去，我看见她手里还捏着一根软尺。

胖姑娘并不躲闪。她爽性侧过身，用一个夸张的动作把那手捏软尺的姑娘指给我，操着报幕员似的腔调向我介绍说："这位就是——登丽美女士！"

除了被介绍者以外，其余的人都笑得更凶了。

我望了望那位登丽美女士。她身材很苗条，鹅蛋脸，一头波浪式的披肩发，两眼闪闪放光；她的工作服上衣的领子翻得格外开，露出里面墨黑的毛线衣，而恰恰在露出的那个狭长的三角形里，墨黑底子上织有金红色的一片枫叶图案，不大不小，似坠欲住，竟把她整个身姿烘托得格外飘逸。

当时，我把登丽美听成了邓丽美。因为我想既是她的姓名，头一个字必然是邓。由此我又想到了邓丽君——邓丽美和邓丽君差不多嘛，而由邓丽君我又估计出这位"枫叶女士"大约是一位迷恋"流行曲"、追求种种时髦的浅薄姑娘……

"你们都是值班的吗？"我问。

别的姑娘们还在笑——这些二十来岁的姑娘们为什么总那么爱笑？——只有那我当她叫邓丽美的姑娘没怎么笑，她回答我说："就我是值班的。"

"我们都是求她给裁衣服的，"满脸雀斑的胖姑娘笑着解释说，"她裁得可棒啦！"

这时从货架后走出来那位先前尖叫着逃开的姑娘，她已经穿好了外面的衣服，显然她很厌烦我，因为她一出来便用两只眼瞪着我。

我本想立即跟她们道声"再见"便上二楼去，可这时我脑子里飘出了一位报告文学名家的话：为了写好一个人物，从他周围的人那里采访对他的印象，特别是从他的反对者和对他不以为然的人那里获取特殊角度的材料，往往比对他直接采访更有收获。因此，我便爽性倚在了柜台上，用十分友好的态度对她们说："我们刊物想让我写篇反映你们商场情况的报告文学，你们副经理老冀跟我介绍了牛师傅的情况，我觉得挺有意思。你们能给我讲点他的事情吗？"

姑娘们一边嗑着葵花子一边嘻嘻哈哈地应付我。这个说："牛师傅呀，人家一辈子没报销过医药费！"那个说："组长到他家去搜看病买药的单据，他见组长来了，就把那单据往火炉子里扔！"又有一个说："他老伴咳嗽得那么厉害，他也只给她买顶便宜的糖浆，舍不得买枇杷露、喘嗽宁……"还有一个说："吃顿肉末炸酱面，他就告诉说改善生活了，两口子从来没上过饭馆，你信不信？"

她们一边说一边吐着瓜子皮儿，我也弄不清她们是佩服牛师傅还是嘲笑牛师傅。也许，两种情绪都有那么一点儿。

满脸雀斑的胖姑娘显然是模仿着牛师傅的姿势语气，她且把那"邓丽美"当做商场经理，对她憨笑着，两手在胸前互相搓揉，打着结巴说："这、这是怎么着说的……
组织上这、这么照顾……要在旧、旧社会，我哪、哪能坐上这小、小汽车……"

姑娘们一阵哄笑，瓜子皮儿乱飞，把我弄得莫名其妙。

可是那可能叫邓丽美的姑娘表情却严肃起来，她提高嗓门，宣布什么决定似的
说了句："牛师傅可是个好人！"

其余的姑娘们竟一下子压低、忍住了笑声，啊，原来这位"邓丽美女士"在她
们当中享有着如此威望。

"邓丽美女士"扭过脸来望着我，解释说："牛师傅去年春天没了老伴。领骨灰、
存骨灰那天，商场领导派了辆小吉普让他坐，他感激得不得了，开会一发言就说这
件事儿。"

"是呀，"我听了解释以后说，"这位老师傅对党感情深厚，他付出的那么多，可
索取的却那么少……"

"不过，牛师傅也仅仅是个好人而已！"

没想到"邓丽美女士"冷冷地回了我一句。她把"而已"两个字咬得特别重。
我不禁尴尬，而姑娘们却重又畅快地笑了起来。

四

我上二楼采访了牛师傅。

牛师傅身材瘦小，五十八岁了，可并不见老。没说上几句话，我就感觉出他的
确是个慈厚可亲的人。他弄不清我是报社的记者还是杂志社派来写报告文学的人，
因为对于他来说，报纸和杂志，通讯报道和文学作品，以及编辑和作者，实在都没
有什么区别，他单知道副经理老冀留下了话，让他接受我的采访，人家问什么你就
说什么。所以，他坐在我对面，两只手平搁在膝盖上，极为诚恳耐心地回答着我的
所有问题。

从牛师傅那里，我获得了当年庙会的许多感性材料，比如，庙会里最兴隆的生

意是卖梳篦，篦子又往往成套地卖，最大的与巴掌等长，最小的比大拇指还短……
而卖梳篦时，又往往兼卖用猪胰脏熬出的油做成的猪胰子球，那相当于今天的香皂，
以桂馥楼"金驴为记"的质量最好；此外，还有桃碱，"冬使胰子夏使碱"；此外还
有蛤蜊油，搽手抹脸用的……当年，牛师傅跟着他爹在庙会里摆小摊卖这些东西，
本小利微，过的是喝杂合面糊糊的苦日子，用棒子面贴一锅饼子，就一碗酸白菜汤，
那就要算"改善生活"了，逢到年节，才算有顿饺子吃，吃喝赖点还不算啥，让人
难熬的是地痞欺压，牛师傅的父亲，就是被地痞马三爷踢伤了肝，吐血而亡的……

"所以，到了新社会，进了这丰华商场，我跟老伴可知足了。我不明白如今这些
小年轻的，干嘛老那么不知足？"

牛师傅慢言慢语地跟我讲述着。就是那两句批评"小年轻"的话，他的语气也
非常之和缓，全然没有躁气。真是个善良纯朴的人。

"您有几个儿女？都大了吧？"我问。

牛师傅忽然有点局促起来，他两只手直在膝盖上搓裤子，讷讷地回答我说："有
个闺女，出阁多年了，逢年过节必来看我……跟前还有个儿子，上中学呢，眼看快
毕业了……"

我不明白说到儿女他何以不安起来。

牛师傅抬眼望望我，仿佛下了老大的决心，请求我说："您能不能在老冀他们跟前，
帮我反映反映……是这么回事儿，这儿子，是我三弟过继给我的，他眼看就毕业了，
我说话也到岁数了，看能不能……让他顶替我？"

我不明白："难道由他顶替您，还有什么不合规定的地方吗？再说，您自己不能
找老冀他们说说吗？"

他竟脸红了，额头上还沁出一些细细的汗珠，仿佛坦白什么罪行似的对我说：
"是……这么个情况，我这儿子，他过继来的时候，户口是迁到我这儿来了，可他
的粮油副食关系，还留在我三弟那儿……三弟他们人口多，不富裕，所以我一直没
让他转过来……"

可这算什么问题呢？这能构成什么障碍呢？

我答应见了老冀帮他说说。

一般性的谈话过后，我想试着探索探索他的心灵深处。

"您从来不到合同医院看病，不报销医药费，究竟是怎么想的呢？"

"我想着，自个儿得着党和国家的恩德够多的了，能为国家省着点咱就省着点……"

"听说你起头不要奖金，后来要了，又都买成了国库券，您又是怎么想的呢？"

"为人民服务，有工资就行了。不给奖金，就不好好卖货，那行吗？奖金我拿着也没用，买国库券，支援国家，我心里头才踏实……"

"您这么样，准有人说您是傻子吧？"

"兴许有。说我傻就算傻吧。"

我想，说他傻的准是些年轻人，比如，刚才楼下见着的那些姑娘们，在她们心目中就一定把他视为"傻老帽"。因此我问："您跟商场里的年轻人，合得来吗？"

"他们对我倒都挺好。没有当面拿我开心的。我对他们么，能照顾两下就照顾两下——比方说顾客跟他们冲撞起来了，我就让他们靠后，我上前头跟顾客好言好语去……不过，打心里头往外掏实的——我对他们有的那个做派，也还真有点看不惯哩……"

"您刚才听见下头的笑声了吧？"

"可不，您说她们是不是有点疯？"牛师傅的语气是柔和的、宽容的，可不满之情还是溢于言表。他摇着头说："她们那是量尺寸要裁衣服呢。您说像话吗？恨不得脱得赤身露体地量。以往谁见过坐着量的？她们就兴坐着量尺寸，说是那叫……叫什么来着？啊，叫'原形裁剪'……"

"她们爱漂亮啊！"

"那可不，讲究着哩。就是这发的工作服，她们也要拆了改缝，不把那身段衬出来，不甘心……"他原宥地微笑着，"她们想的，跟我们可真不一样啊……"

我望着牛师傅，注意到他身上那套工作服虽然洗得很干净，但显然年头已经很长，因为领子、襟边都有小块补丁，胸兜上方印的红字，也已经褪得几乎看不出来。不用问，他一定几年没有领取新的工作服了。一时间我非常感动。

五

九点半过后，我往楼下走的时候，脑子也没松懈，我盘算着在约定第二天去牛师傅家访问时，该怎么进一步深入了解他的各个方面，特别是怎么把他的思想境界加以诗意的概括与升华……

下到一楼，我忽然感到异样的寂静，定睛一看，原来别的姑娘们都已离去，地下的瓜子皮儿也已清扫干净，只有那大概确实叫邓丽美的姑娘，一个人坐在那儿值班——她正低头摆弄着什么。

我要出楼必得从她面前经过，于是我便招呼她说："小邓，就剩你一个人啦？"

她听见我的声音，抬起头来，笑了："小邓？哈哈哈……我不姓邓啊！"

"她们不是叫你邓丽美吗？"

"她们叫我？啊，哈……她们不是叫我邓丽美，是叫我登丽美！"

"登丽美？"

"是呀，登丽美！"

"还有姓登的？"

"干吗只能姓邓不能姓登？你们作家里头，不就有母国政吗？不姓当中一撇的那个毋，偏姓'母亲'的'母'。还有中杰英，他就不姓'钟山风雨'的那个'钟'，偏姓'中国'的'中'。"

啊，原来她是个文学爱好者。显然，她一定读过母国政的短篇小说《我们家的炊事员》，看过中杰英的话剧《哥儿们折腾记》。

她几句话把我噎得够呛。可她一看我有点不快，忙莞尔一笑，和缓地问："怎么样？采访顺利吗？回去就能动笔了吧？"

"还得消化消化。"我实话实说，"好像还升华不起来。"

"你们搞这一行的，是得把生活消化消化再动笔，"她毫不客气地发议论说，"别那么急功近利地瞎忙活……比如前两天的电视新闻，一段照的是哪个省的农民，他又养花又养鱼，又养鸡鸭又编草筐，赚了成千上万的钱，冒尖户，盖起了二层楼，那个解说词啊，就差把他封成'金星英雄'了。可隔了几段，又照了哪个省的青年矿工，这一位可好，不但绝对不赚外快，他每天下了班还多干两个钟头的活；从来不休假倒也罢了，解说词里还说他已经连续四年推迟了婚期……我都替他那对象难过，他既然那么爱他那井下作业，那么不在乎休息和结婚，又何必搞对象呢？……"

"你说的电视新闻我好像也看了，"我告诉她，"我怎么没觉出什么来呢？"

"所以你写不出好文章来！"她尖刻地说，"你为什么就没觉出来，眼前这个转折时期，生活的步伐行进得很快，而我们的认识往往跟不上去，结果我们的宣传就出现了混乱呢！"

没想到这位令人联想到邓丽君的"枫叶女士"，居然说出了这么一番话来。

"怎么个混乱？"我问她。

"有的时候，为了宣传经济改革的正确和成效，就拼命到农村找最耸人听闻的冒尖户，或者到城里找最有刺激性的个体户富翁，急急忙忙地把他们抬出来，拍成电视，写成报告文学，编成小说，大概还想搞出鲜艳十二彩的故事片……可这该多么浅薄！"

"浅薄？"

"是浅薄！我是经济改革的最坚定的拥护者，可是我反对这种片面性。听说当年'大跃进'的时候，时兴'放卫星'，宣传上比嗓门，你说亩产一万斤，我就说亩产五万斤……现在宣传个体经营，可千万别也搞成比赛'放卫星'，你找到个一年赚五万的，我非找个一年赚十万的不可，你说他个人买汽车，我就说他个人开了个大旅馆……一个人的价值，并不能单从他的个人财富上来衡量；我们经济改革的成效，更不能单用发大财的'冒尖户卫星'来说明！考察一个事物，不能只用一个参数定性，得尽可能掌握更多的参数……"

"可电视台表扬那个冒尖户有什么不可以呢？"

"不是绝对不可以，问题在于干吗把他当成模范来介绍？要让我去搞这个节目，我就宁愿不拍这个最尖端的冒尖户，而去表现更有代表性的，也就是较多的农民已经达到富裕状况……"

"可表现那位青年矿工的那段，又有什么不妥呢？"

"那位青年矿工不值得这么报道。尤其不值得这么夸赞。应当劝他该休息还是要休息；应当劝他马上举行婚礼。跟人家说好要结婚，推迟一年是可以的，超过两年已经不通人情，推迟四年，简直说不过去！我们的电视为什么要宣扬这种没有人情味儿的行为？即便这种行为是不必指责的，也不该拿来颂扬！"

"嗬，你还真有独到的见解！"

"我有没有，问题不大，反正我又不写文章发表。可怕的是你们这样的人竟然没有独到的见解……结果，公式化概念化雷同化图解化还事小，弄不好简直是人为地制造混乱！"

这位登丽美，好厉害！

"你这话也太过头了，"我觉得我不但应当捍卫个人尊严，而且也应当为我的同行们乃至整个宣传口辩护，"究竟出现了多少混乱呢？你不要见了几粒芝麻就叫嚷西瓜！"

她晃着头发笑了："我可没叫嚷西瓜！你们确实也为改革造了不少好舆论……可的的确确有混乱之处呀！虽说够不上西瓜那么大，也不全是小芝麻。比方我刚才举的例子，一方面，宣传不要吃大锅饭，鼓励个人通过正当的劳动发家致富；一方面，又宣传不休息不结婚不计报酬一心扑在'大锅饭'上的'革命傻子'。这不是自相矛盾吗？"

"这怎么是自相矛盾呢？"我反驳她说，"这是一个事物的两个方面嘛。在经济上，我们要坚决地改变吃大锅饭的状况，在思想上，我们要坚定不移地宣传一心为公的共产主义精神。"

"可是，经济改革那'不吃大锅饭'的理论基础是什么？就是承认绝大多数劳动者不可能也用不着一心为公，而是应当把为公和为私辩证地统一起来：通过为集体、为国家贡献力量去达到个人幸福，而又在追求个人幸福的过程中把为集体、为国家、为他人付出代价视为义务和快乐。我完全相信电视里所照的那位矿工是个好得不得了的人物，然而他也仅仅是个一般意义的好人而已。"我注意到她又把"而已"两个字咬得很重，她滔滔不绝地激昂地讲下去："他大概把个人幸福完全视为可有可无的东西了，所以他能在和平岁月里一连四年推迟他的婚期，而完全没有同爱他的姑娘早日共享最正常最合理的快乐的欲望——这样，在他心目中，共产主义事业便成了一种同个人幸福相对立的东西了。其实，他应当懂得，宣传他的同志尤其应当懂得，千百万劳动群众世代斗争和努力去争取共产主义的根本动力，是他们想活得更好而不是清心寡欲，是他们反对用剥削和压迫的办法去达到个人幸福，而主张用共同劳动的办法去达到个人幸福，他们固然不能预支那未来的幸福，因此他们必须在一定程度上付出艰苦的代价，但他们也不必抛弃现世的幸福，而使自己像苦行僧一样生活……"

这位登丽美侃侃而谈的气派真把我震住了。

"你哪儿学来的这么一套？"我不禁问她，"你上过大学？"

"你说的是毕了业管分配工作、一转正就挣五十多块钱的那种大学！当然没上过。"她笑了，"要上过这样的大学，我还在这儿当售货员？"

"你在插队或在兵团的时候自学的？"

"我刚满22岁，"她严正地提醒我，"你们心目中的青年，只到孔捷生、王安忆他们那一茬为止。请注意，现在已经有了更新的几茬人——比如我们这一茬，1977年以后中学毕业的。我们全都不插队，不上兵团，我们要么上大学，要么分配到哪儿去哪儿，要么待业。"仿佛为了加深我的印象，她盯了我一眼后，又补充说，"我们以下还有一茬，正上中学的。对于他们来说，'文化大革命'是地地道道的历史，学校里考试，让填空，填'四人帮'的名字，尽是填不全、填不对的，扣分扣老鼻子了……你们怎么总意识不到这一点？我们这些新的青年人，看人看事的眼光，跟你们，跟上几茬的青年，都不怎么一样了！"

真有点振聋发聩！可不，心算一下，1966 年出生的人如今都十四岁了，正式迈入青年范畴了，可我们还管儿子已经加入共青团的人叫什么"青年作家"！

登丽美的话说到那儿，果然上下打量着我，扑哧笑了："比如您这身衣服，在我眼里，就要多别扭有多别扭！"

我不服气："我这可是涤卡的！"

"料子倒是好料子——其实料子无所谓，我觉着别扭，是因为那裁剪……"

"我这可是甲级服装店做的，"我申辩说，"老师傅给我裁的哩！"

"你们就迷信老的！老字号，老把势，老师傅……我问你，你有没有这个感觉：即便是咱们为出国人员做的服装，料子特棒，穿上去到外国人跟前那么一站，也总有那么点土气，为什么？"

"你们这些小年轻，就迷信洋的！迷信新、奇、怪！"我反唇相讥。不过，我在心里苦恼地承认：是有她说的那么个问题。

"我们才不迷信呢！老的、洋的全不迷信！我们'迷信'的是科学！告诉你原因吧——咱们城里是有那么几十个老裁缝，当年手艺比哪国的裁缝也不差，可现在不行了，不是因为他们老了，而是因为国外出现了崭新的裁剪方法，也就是说，更科学的裁剪法，有好几种流派，比方说，日本就有一种，'原形裁剪'，所需要的参数，比以往旧式的量尺寸方式多一倍，放大尺寸也不是靠估计，而是有精确的公式，所以裁剪出来的衣服，穿上就又贴体又舒服……你看，不是中国的裁缝不行，是咱们自己既没有发展裁剪科学，又没有及时地引进、推广国外的裁剪科学……"

裁剪衣服还有一门科学！我惊讶地望着这位妙人，她究竟还要教训我多少呢？

"我真为你们这样的人难过，"她不依不饶地望着我说，"这么好的料子，裁剪成了这样！"

"那么说，你会'原形裁剪'啰？"我挑衅地问。

"这不,正学着呢。"她说到这儿,我才看清她原来拿在手里,后来搁在柜台上的,是一叠油印的材料,并且还有一个小小的电子计算器。

"你学这个干吗?"我故意把语气弄得很尖刻,"学成了,是想退职,自己去开个服装店吗?"

"那又怎么着?"她耸起眉毛,睁圆眼睛,和我对视着。

再这么下去非拌嘴不成。我赶紧告辞。

出了商场一看表,乖乖,我被她绊住的时间,竟超过了半个钟头。这半个多钟头要是也用来访问牛师傅,该增添多少素材!

六

每二天上午我很不痛快。我不能静心整理关于牛师傅的采访笔记,因为那登丽美的面影总不时地浮到我的脑际,并且她那辞锋锐利、语气尖刻的议论总不断地回响在我的耳边。都是她干扰所致——我从笔记中摘出了不少可资利用的细节、话语,可就是形不成深刻而生动的总体构思!

下午我动身去牛师傅家里采访。他住在城边上一个挺远的地方。在一处车站换车时,我意外地遇上了登丽美——顿觉我们这个城市并不怎么宏大,遇上不愿相见的人的概率居然如此之高。

登丽美看样子倒并不厌烦我,她爽朗地微笑着,同我打招呼。我真看不惯她的打扮——她竟穿着一件皮面朝外的短大衣。那皮子黄黑相间,我也弄不懂是什么皮子。她才 22 岁,怎么可以如此这般打扮?

"你到哪儿去?"我勉勉强强地招呼她说。

"今天我倒休。"她笑吟吟地望着我说。

"你这是去哪儿呢?"我因为实在无话,也因为毕竟有点好奇,重复地问着。

她晃着头发笑了:"你这个人!街上见了面,怎么能盯着人问这个呢?各人有各人的私事,是不是?问个好就行了嘛!"

这丫头！又来教训我！

我爽性直抒胸臆："你年纪轻轻的，怎么穿这么件外套？当然，这更是你的私事、私生活——可我得告诉你，我一看见这打扮，就想起解放前的阔太太，想起——"

"想起资产阶级大小姐，想起不正经的'交际花'，也许还想起了女特务、女间谍，是不？"她满不在乎地说，"可我都不是，我是个地地道道的劳动者。这大衣是我用自己劳动得来的钱买的。"

我只是摇头。

"好，我也干涉一下你的私生活：你家里有落地灯吗？"她顽皮地问我。

我点点头："有哇，结婚的时候置的。怎么了？"

"不怎么，"她说，"你看我们这一茬的年轻人，比我大点的，结婚的时候，已经不时兴置落地灯，要置吊灯和壁灯了。"

我一想：也是，"家用电器商店"里似乎挂满了那类让我目瞪口呆的东西。

"也不置高压锅，时兴置电饭煲了。收录机时兴落地式的，双卡的就更俏。洗衣机要能甩干的……你搞写作的，讲究观察生活，难道连这些也不清楚吗？"

"我是不大清楚。"

"那你可务必弄清楚。比如绦纶棉或鸭绒的'太空缕'，就是登山服，我们这一茬的、已经工作的姑娘们，就都不那么热衷了，我们现在热衷的是我穿的这种真皮大衣……也许明后年不时兴翻毛的，那我就得自己动手把它翻个个儿，给它挂上面了！"

"可是，这么赶时髦，究竟又有什么意义呢？"我鄙夷地说，"对于一个人来说，重要的在于精神境界，而不在于衣衫！"

"你说得不错，"她接过我的话茬说，"对每一个具体的人来说，是那么个道理。可是就整个社会来说，群众消费习惯的改变、消费渴求的增加，恰恰是刺激生产发展的原动力！我们商场为什么老没长进？就因为总满足于十几年乃至几十年'一贯制'，没有多少革新！"

这时已经来了一辆车，人们都争着上车，我和她本能地退到后侧，继续我们的争论。

"可是你们商场有牛师傅那样的人，"我强调说，"他是珍贵的黄金。他的心灵比任何花花绿绿、金碧辉煌的商品都可贵。"

"牛师傅是个好人，我很尊敬他，"登丽美语气一转，咄咄逼人地说，"可是，我必须残酷地向你指出来：恰恰是像他那样的人，不可能为推进我们商场的发展起积极的作用！"

我简直是气愤填膺，她竟敢说出这样的话来！

"那么，倒是你登丽美小姐这样的人物，能为推进商场的发展起积极作用啰！"我反击她。

"不止我一个哩，"她居然大言不惭地说，"可惜我们商场有的领导完全不理解我们，妨碍我们发挥这种积极作用，比如说老冀！"

"老冀？"

"他就是块绊脚石。比方说，昨天下午我打电话给他，申请给我们报销学费……"

"昨天下午是你打的电话？"

"你知道这件事？你是怎么个看法？"

"你们是到一个什么登广告的私立学校去上课，想报销学费？"

"是那么回事儿。"

"简直荒唐！"

"为什么荒唐？老冀他们应当懂得，要发展商场，就应当搞智力投资！"

"智力投资？"

"不错，我们去学'原形裁剪'，并不是为了自己，或者说首先不是为了自己，我们恰恰是为了我们的商场……"

"怎么回事？"

"显然你是没有弄明白我们的情况，就在那里胡乱表态，你了解我们服装组的经销情况吗？"

"……"

"尽是些样式老旧、裁剪粗笨的货色——滞销一阵，只好折价处理……"

"你们可以进好一点的成衣嘛。"

"随着广大群众消费水平的提高，对成衣的需求会逐步下降，买料子做新衣的需求会迅猛上升，这一点你承认吗？"

"承认。"

"而我们这个城市目前做衣之难，你不是不知道吧？"

"当然知道。"

我们商场原来有两个老裁缝师傅，也经营过裁缝业务，可是头两年反倒停顿了这项业务。

"为什么？"

"一位老师傅去世了，另一位老师傅退休了……"

"就没有接班人吗？"

"有。有三个比我们大一茬的师傅。可是他们的手艺实在差劲。顾客净来提意见、吵架，有时我们不光给人家返工，还得赔料子——你想能赢利吗？费力不讨好，所以老冀他们就把这项业务停了。你说不该恢复吗？"

"能恢复自然好。"

"我跟两个伙伴，三个人就下了这么个决心。我们不想一般的恢复，我们要在商场开设'原形裁剪'的最新业务……"

"原来你们是为了这个去上学？"

"你刚明白？我们利用休息时间，自己掏腰包，起劲地学……这也不是头一回自己花钱上学了，去年我学哲学和政治经济学，光交学费、买书就花了不下 50 块钱！"

"这回你们要求报销……"

"没错。要求报销。其实我自己倒无所谓，可她们两个家里头不富裕。我认为商场应当给报销！"

"这……也许财务制度上不允许。"

"财务制度大可以改革一下，再说，可以从职工教育费里往外拿。"

我无话可说了。

又来了一辆车。

她朝那辆车望了一眼，提醒我，也提醒她自己："别误了事儿……下一趟无论如何得上了。"

是的。我得抓紧时间，我该早点到牛师傅家去，他正等着我呢。

"现在我承认你们是想发挥积极作用，"我不禁对登丽美说，"可你又凭什么贬低牛师傅呢？"

"不是我贬低他，"她振振有词地说，"是他的思想境界本来不高。"

"牛师傅思想境界不高？你有什么根据？难道你以为他不报销医药费，这里头有什么虚伪不成？"

"你想到哪儿去了，"她仰头笑了起来，"我怎么会以为牛师傅虚伪？！像他那么真诚的人，世上难找！"

"那你为什么不承认他高尚？"

"问题恰恰在于他的真诚……我要残酷地向你指出——"她对我又一次残酷！我真有点受不了，不过我不能不听她说下去，"……他那是一种农民意识，精确地说，是农民意识中的消极、狭隘部分的集中体现——他不懂得，无产阶级为了获得公费医疗这样的福利，几乎从它诞生之日起就没有停止过斗争……他如果真有觉悟，真有你们竭力主张宣扬的共产主义精神，他就应当一方面理直气壮地享受公费医疗，一方面采取积极的进取精神，通过自己的工作，来发展我们的商场业务，从而为增添我们社会主义的国力作出贡献，而国力增强以后，又能进一步扩大和发展我们享受的福利待遇……我们应当向往那样一种境界：不仅看病吃药不要钱，并且还可以免费到风景名胜地去旅游、休养！难道我说得不对吗？"

我有点气急败坏："你不觉得你说得太多了吗？"

"那怎么着！"她满不在乎地宣布，"我们上头的一茬,宣告他们是'思考的一代',

那么我可以向你宣告，我们这一茬人，是'议论的一代'，是'行动的一代'，或者把言、行两方面合起来，称为'改革的一代'！"

我受不了她的狂妄。受不了她那一头披肩的长发。受不了她那件黄黑两色的皮外套。受不了她那既因天冷穿了皮衣却又不戴头巾的做派。特别受不了的，是她对牛师傅的诋毁。

"不管怎么说，牛师傅那一心为公的精神是高尚的！"我提高嗓门说，"如果全国人民都和他一样——"

"——都和他一样，那一定会成为一个很穷困的君子国，反正成不了现代化的强国！"她残酷地截断了我的话，把我的怒火扇到了最猛烈的状态，而恰在这时，又一辆车来了，她轻捷地一转身，几步跨过去、一跃，就上了车。我扭头呆呆地望着她，她却松弛了下来，姿势潇洒，满脸微笑，并且在车门关上以前，大声地告诉我："我叫马小香！'登丽美'是我的外号——"

车门"砰"地关上了，可是我还听得见她余下的语音："——'登丽美'是一种新式服装，它的裁剪法比'原形裁剪'更先进！我学了'原形'，还要接着学'登丽美'！"

啊，登丽美——摩登，美丽……恍然大悟。

车开走了。我一个人像个傻子，捏紧拳头站在了站牌下。

心乱如麻。我那报告文学可怎么写呢？！

1983 年 1 月 9 日

于北京劲松中街

非重点

高兴。真高兴。

就像当年自己考上了名牌大学一样。不，比那还高兴。就像当年自己的论文头一回在学报上变成了铅字一样。

半路上我拐进了邮局。真扫兴——这个邮局不管拍电报。买了张航空明信片，匆匆地给出差的妻写了这么两行："晶儿转学事全妥，释念。盼购港式双肩背书包归。"把明信片扔进邮箱后，吁出一口气，搓了搓手，轻松地走出了邮局。

真巧，迎面遇上了老邹。老邹是我高中时的同学，他就在这附近一个什么单位工作。我们一年里偶然会在路上遇上几次，遇上了，便会谈一会儿，谈完了，互相约定："有空到我家来玩啊！"但我们双方都未践过约，看来并不是都绝对没有空，而是我们之间并不存在什么真正的友谊。虽如此，每到遇上时，总能推心置腹地聊上那么一阵。

"你这是去哪儿呀？"老邹关切地问。

"啊，去办点事。"我本想把晶儿转学成功的事告诉他，但话到嘴边又吞回去了。老邹的女儿早就在全市最好的重点小学上学了。记得老邹曾对我说过："不上重点不得了啊！从幼儿园起就得为孩子着想，不能掉以轻心！一定要上重点幼儿园，只有上了重点幼儿园，才能保证考上重点小学；只有上了重点小学，才能保证考上重点初中；只有上了重点初中，才能保证考上重点高中；只有在重点高中最后一年进了重点班，在高考前半年进了重点小组，才有可能考上重点大学的重点专业，将来才有可能考上研究生，成为重点培养对象，分配到重点科研单位搞重点工作……"他那一连串"重点"像鼓槌般敲击着我那不堪为鼓的心，曾使我为自己的儿子竟糊里糊涂地在非重点小学上到了五年级，而羞愧惶急达于极点。所以，即使我现在告诉他晶儿终于也转到"重点"去了，他也还是会用那鼓槌敲击我的心："晚了！晚了！……"

为了不让他问到我的孩子，我便抢先问他的夫人："……怎么样，工作调妥了吗？"

如果谈孩子上学的事是我的一块心病，那么他夫人调工作的事便是他的一块心病。他夫人的工作一直未能专业对口，评职称调工资等方面都受影响。老邹一直在为她奔走，但总是功亏一篑。

"这回总算快成了，"老邹脸上现出几丝飘忽的喜色，"但愿下个月能具体落实。"

我便谈了些"这回肯定成功"之类的话，他应答着。后来我俩不约而同地都看了看腕上的表，于是同时告别：

"有空上我家玩啊！"

"有空去我家坐啊！"

和老邹分手后，我的心情愈加欢快起来，毕竟我儿子转学的事已完全办妥了，而他夫人调工作的事还有待具体落实。

当我把一切都告诉晶儿他们的何老师后，她以早已预料到的口吻说："啊，又要转走一个了。"

这位何老师才二十多岁。她烫着发，打扮得相当入时。我知道她的来历，1972年初中毕业下乡插队，在农村当了两年代课教师，1976年回到城里，就分配在这所小学工作，这以后的几年她虽上过教师进修学校，又听过电视里的讲座，到底还是根基浅薄，她现在居然教着五年级，可见这所学校没有能人，就凭她这样的老师搞"近亲繁殖"似的教学，学生的水平怎么高得了？难怪有一回老邹跟我谈过："靠这样一些教师教学生，会引起'物种退化'的！"现在我面对着她，简直有，一种惊心动魄的感觉——我竟那么长时间地把晶儿交给了她！交给了非重点小学的这么个低能的老师！我的确对晶儿有罪！谢天谢地，我总算可以从此把晶儿带走了，带到离她远远的重点小学的优秀老师们那儿！

"那么，"何老师扬起脸问我，"您打算什么时候办手续，什么时候让陈自晶去那边上课呢？"

我俯视着她。非重点小学的老师，连个头都这么矮——我不禁这么想着，急切地说："手续最好现在就办。办完手续，我就想把陈自晶带走——今天先去跟那边老师见见面，明天就让他去那儿上课。"

"让他上完今天的课，不行吗？"何老师依旧扬着脸，问我。她语气里充满了那么多恳求的成分，我的心一动，然而，我瞬间又坚定起来，我用强调的声气说："我为陈自晶转学专请了一天假，我必须在今天一天里把事情办完！"

"那……好吧，"她低下了头去，不看着我，"您请吧……我带您办手续去……"

临跟她出屋的时候，我发现她两眼里似乎汪着一层泪水。我的心又一动。然而我不明白这是为着什么。非重点小学的老师，感情也那么细腻吗？

手续其实很简单。

办完手续，何老师又扬起脸，几乎是哀求地问我："等下了课，再让陈自晶来吧？"

我也不知道当时为什么那么急切，竟生硬地问："还得多久才下这节课？"

何老师满脸涨得通红，垂下眼睛，看了看腕上的表说："快了。还差十三分钟。"

十三分钟！我不需要这么多的时间！

当时，我和何老师同在教师休息室。别的老师都上课去了，休息室里只剩下何老师一位老师。她请我坐，我没坐。她便缩到一角，坐到办公桌前，像是在批改作业，又像是拿着笔在发愣。我站在休息室窗前，不耐烦地朝外看。这所小学校原是一所庙宇，肯定不是"敕建"的大庙，而是一所普通的家庙，房屋陈旧，庭院狭小，虽然最近又进行过一次修整油饰，终究显得寒酸。我不禁拿眼前的景象同晶儿即将去的那所重点学校的校园相比，那是怎样的一种气派啊！高大敞亮的教学大楼，器械纷繁的宽阔操场，美丽的花坛，整齐的甬路……唉，我不禁又责备起自己来：你怎么竟忍心让晶儿在这么个地方一待就是五年！……

十三分钟，真长啊！我只能继续无聊地朝外面张望。当然，"麻雀虽小，五脏俱全"，我注意到，这所小学也有布置得很精心的壁报栏，也有小小的花圃，和半截刷着白灰的杨树，以及音乐教室里传来的伴着风琴的合唱声……嗯，还有砖砌的、水泥面的乒乓球台，用白漆栏杆围着的小小的气象观测站，以及只露出一角的图画展览……

终于，下课铃响了，顿时，像变戏法一样，教室里忽然泻出来那么多活蹦乱跳的孩子，眨眼间，有的已经玩上了猴皮筋，有的已经玩上了拽沙包儿，院落里顿时充满了天真烂漫的喧哗声……

何老师不知什么时候已经把晶儿领到了我面前。窗外有些孩子好奇地趴着往里看，几位回到休息室的教师也注意着我们。

"小晶，给你办妥转学手续了，你跟我走吧！"我对晶儿说。

晶儿竟把一双眼睛睁得滴溜溜圆，仿佛在梦里一样。

我发现他是空着手来的，便命令他说："你怎么不把书包背出来？快去背书包，我这就带你走！"

晶儿仿佛听不懂我的话，他呆立在我面前，毫无反应。

"我去给他拿来吧。"何老师去了，我都忘记了跟她说声"谢谢"，我被晶儿那不中用、不争气、不领情、不知父母心的模样儿惹火了，禁不住瞪着他说："你怎么回事儿？不是早跟你说了，要给你转学吗？"

晶儿低下头，只爱默默流泪。

顾不得许多，我就在那儿训斥起他来："你以为给你办成这转学的事容易吗？……费了多大的事！原来人家凡转学的先要考一考，不及格的还不要呢，我连这个也给你想办法免了，你享现成地就能从这非重点转到重点去，你还要怎么着？怎么这么死眉瞪眼的？话都不会说一句？你呀！……"

晶儿抬眼望了我一下，他的眼神透着无限的无辜，仿佛在问我："您要我说什么呢？"是呀，我究竟要他说什么呢？我也不明白，难道是要他对父母为他转学的奔波表示感谢？

何老师已经把他的书包拿来了。

我这才道了声谢，又命令晶儿向何老师告别："跟何老师说再见！"

晶儿机械地重复着："何老师，再见！"

何老师倒通达地拍着他肩膀说："陈自晶，再见！你去吧，那个学校是重点学校，比咱们学校好，那里的老师教学水平高，考重点中学把握大，你爸爸给你转学是为了你好，你到了那儿，要更努力地学习！"

晶儿听一句，点一下头，可他一点没有高兴的样子。何老师说完那些话，便急骤地转过身子，先往她办公桌那边迈了几步，突然又回身朝办公室外面去了，一群孩子马上围拢了她，大约是晶儿同班的同学，仿佛在唧唧喳喳地问着什么，她只是摆手，于是，像一颗彗星，拖着个扇面形的尾巴，她很快消失在我视线之外了。

上课铃响了。我把晶儿带出了学校。

得赶在一天之内把所有事办完。我领着晶儿往车站走，好搭车去那重点学校。晶儿的脚踝上仿佛拴着秤砣，每迈一步都那么费劲。

我急了，恨不能揪他的耳朵："你怎么回事？磨磨蹭蹭的！"

"爸，"他哼哼唧唧地说，"今天……该我记温度呢……"

"什么，什么？"我不耐烦地拍着他脊背催他快走。他躲闪着，曲扭着身子，哀告地说，"我们气象小组……今天该我记温度……"

你看，一个非重点小学，还搞那么多名堂，由自然老师组织了一个什么气象小组，晶儿参加那个小组就是多余！怪不得他有时回家那么晚，一定是放学后还要在这种对升学绝对无用的什么气象小组中浪费时间！

"你不记自然会有别人去记，"我训斥他说，"这么个死心眼儿，怎么考得上重点中学？打今天起，你心眼得给我灵活点儿！"

"爸，"他竟仍然拖沓着步子，搂住书包说，"我借图书馆一本书，还没还呢……我们班星期六开花灯晚会，我跟刘哲做的那盏走马灯，还没完工呢……"

我急了，把他重重地一操："少废话！跟我走！"

他眼里噙着泪水，总算加大了步幅，随我朝远离这非重点的重点走去。

回到家里，我问晶儿："你喜欢现在的这个学校吗？"

他微微点了点头。

吃完饭，他问我："爸，我做哪个学校留的作业呢？"

"当然做新学校的，重点学校的。"

"可这些算术题我们早做过了。"

不知为什么，重点学校的算术课比那非重点学校的进度要慢一点。

"做过了重做！"我庄严地宣布，"你原来那些老师就知道赶进度，哪有人家重点学校教得扎实！"

晶儿在桌上铺开了作业本，心神不定地问我："爸，我以后还给刘哲补课吗？"

"谁是刘哲？"

"我们班同学。"

"不要再说'我们班'了。刘哲所在的那个班不再是你的班级了。你现在是重点小学的五年级三班的学生。那个刘哲，你就不要再管他了。"

"我也不能再找他玩了吗？"

"你不用找他玩了，因为你有许多新同学，质量高的新同学，可以做朋友了。"

"那，我能给他写信吗？"

这可是个古怪的问题。我愣了一下，便"嗯"了一声。

忽然有人敲门。

我去开门，是何老师。

晶儿像只鸟儿，忽地一下就扑到了何老师身边，仿佛离开她好久好久了，蹦着双脚叫："何老师！何老师！"

何老师抱歉地对我笑着，从她那式样新颖的人造革提包中，取出一叠本册来，解释说："陈自晶的作文本、算术本、美术本、大字本，都批改完了，我给他送来。"

晶儿兴高采烈地接了过去，一本本翻开，自豪地向我报道说："爸，全是五分呢！"

我毫不留情地泼冷水说："得什么意！非重点学校的五分，拿到重点学校去怕四分也不值！"

何老师明显地愠怒了，她扬起下巴，吃惊似的望着我。

我这才感觉失言，忙请她坐，补充道谢。

何老师定了定神，便在晶儿身边坐下，翻开作文本，对晶儿说："这回作文你虽得了五分，可写得没有张红松生动，你看，这一小段本来可以把那场面具体地描绘一下，你却干巴巴地交代过去了。"

晶儿马上问："张红松是怎么写的呢？"

何老师微笑了："我就知道你心里总跟他较着劲。这不，我把他的作文带来了，你就看看吧。"说着，取出了那张红松的作文，晶儿马上捧过去看了起来。

我去给何老师沏了杯茶，我发现，晶儿和她坐在一起，即使是看那个什么张红松的作文，也显得比跟我在一起活泼很多。

看完作文，晶儿把一本书取出来递给何老师说："咱们学校图书馆的，我还想接着借呢！"那是一本《上下五千年》，显然，是一套连续性的多册读物。何老师把书接过去，按平边角，和蔼地对晶儿说："你那个新学校，图书馆收藏的书一定更多，你接着借下一本看吧！"

何老师没有喝我端过去的茶，她把那本书收进手提包，站起来，面对着我，没开口，脸先红了，这时候我更觉得她年轻、幼稚，而且从她那穿双高跟鞋，拼命想把自己的矮个子拔高的做派上，更觉得她浅薄、庸俗；她咽了口气，这才鼓足勇气，从兜里掏出个什么东西，生怕我拒绝地说："陈同志，我……我写了封信，是写给……写给陈自晶他那个新班主任的，我想让陈自晶明天上学的时候，给他那个新老师带去……您、您先看看，如果不合适……"她说不下去了。这是那种没见过大场面、没遇过大阵势的小人物常有的神情，我看不上眼，可又不忍心流露出轻蔑，于是便装作没发现她的神态异样，安详地说："啊，什么信？就给我先看看吧。"于是她把那封信递给了我。

那封信，除了开头、结尾的客气话，主要是交代我们晶儿的以下特点，提请新老师注意：

(1)他做分数运算时，最后的得数如果是繁分数，他总容易忘记化简，这个毛病一定要给他重点纠正。

(2)汉语拼音，他有时l和n这两个辅音分不清，要专给他出些有关的练习题，让他一定分清。

(3)他的左胳膊似乎比右胳膊细一点，请转告体育老师，加大他左胳膊的运动量。

(4)他最怕当着许多女生公开批评他。在这种情况下他很可能故意同老师顶嘴。这个问题应当怎么看，怎么解决，请您考虑。

(5)听见老师讲到好笑的地方，他的笑声往往有点尖，那不是他故意出怪声，他的笑声就是那样，遇到这种情况请您原谅他。

(6)思考问题的时候，他常不知不觉地用食指挖鼻孔，这是个坏习惯，希望您注意提醒他改正。

(7)他吃饭总是很急。如果他到了您校还是带一顿中午饭去吃，请务必观察几次，督促他细嚼慢咽。

(8)他喜欢读历史故事，能给黑板报、壁报画很精致的花边，这些特长，希望您帮助他进一步发挥……

没有看完，我的心就骚动起来，再不能平静。这真出乎我的意料，也真让我不能不感动。我拿信的手禁不住抖动起来。

"陈同志，这样写……是不是……不合适？"何老师并不知道我内心的反应，她提心吊胆地仰着脸问我。

"怎么不合适？"我急不择言地说，"你为什么会那么想？你怎么会以为我认为它不合适？"

她的眼里涌出了一层泪花，但她竭力控制住自己，不让那泪花凝成泪珠儿滴落出来，她用痛苦的声调说："我知道：您看不起我，不止是您一个，也不止是看不起我一个……我们是非重点……"

我一时无言。我不能否认。

"可，"她仰着头，甩甩头发，忽然转而用一种抗辩的声调说，"可我爱我们学校！爱这个破庙改成的、小小的非重点学校！这也是我们社会主义祖国的小学校啊！我小学就是在那儿上的，别看那小小的校门，补过好多次的门板；别看那破庙堂改成的教室，那些旧得看不出清漆的课桌椅，我想起它们来，心里头就有说不出来的滋味……我们非重点学校也是学校，我们非重点学校的老师也有一颗忠于党的教育事业的心，我们非重点学校的学生也一样是祖国的花朵……"

"可你们的毕业生，有几个考得上重点中学呢？"我这话一出口，便自知残酷，可我不能不发这么一问，因为，归根结底，我给晶儿转学，不就是出于这个升学率方面的考虑吗？

她低下了头去，坦率地说："去年是百分之十一，今年倒降到了百分之九……这还只是考上了区重点中学，考上市重点中学的，一个也没有……恐怕好多年里，我们学校都会是这么个状况……"

我不好要再说什么，便把那封信递给了晶儿，嘱咐他说："明天给你的新班主任带去吧。何老师是为了你好，你要听新班主任的话，也好让何老师放心。"

晶儿接过信，两眼只望着何老师，嘴角扭动着。他一定明白何老师为什么这样难过，一颗稚嫩的心，正感受着生活中某种沉重的、无可奈何的境界。

何老师打算告辞了，她刚迈了一步，忽然又转过身，先望着晶儿，后望着我，犹豫地说："星期六晚上的花灯晚会，陈自晶是不是……"

"我要去！"晶儿蹦到我和何老师之间，几乎也用一种抗辩的声音叫喊起来，"我要去，要去！"

我心软了，便点了点头："去吧。不过，就去这一次。以后，你该参加新班级的活动了。"

晶儿高兴得拍起巴掌，何老师也仰起脸，感激地望着我。

晶儿做完了作业，又预习了语文，我催他洗脚睡觉，他却铺开一张纸，说要写信。

"对了，是该给你妈妈写封信，你要告诉她，你总算转到重点学校了，你一定不辜负她的期望，好好学习，明年一定争取考上市重点中学……"我命令着。

"嗯。"他答应着，埋下头，写了起来。

我洗了个脚，走过去，从他肩上望过去，检查他写得如何，只见他在那信纸上赫然写着：

刘哲：

　　你好！真想你，想咱们班的同学呀！咱俩做的那个走马灯，你一定要把最后的一面糊好啊！我再也不能给你补课了，再也不能和大家一起听何老师讲故事了，我心里很难过，我想哭，真的。

我始而大怒，继而心乱，看到晶儿写出的最后几个字，忽然禁不住鼻子酸了。

没想到在晶儿的心灵中，非重点不仅是重点，简直就是拴系他感情的全部。晶儿啊，你将背负着怎样的感情重担，走为父为母为你辛苦铺敷的人生之路？

1983 年 3 月 4 日于北京垂杨柳

今晚头痛

11.2平方米。

一张双人木床。一张书桌。

一个书柜。带玻璃拉门的上半部堆书。双开木门的下半部放衣服。

椅子。两把。

一张年历。九寨沟秋色。

他从书桌边站起来，走到窗前。

光秃秃的杨树枝。枝上的一个树瘤。

甬路。骑车带人。孩子站在车座上，双手搂住父亲的脖子。一条宽宽的松紧带，把父子俩箍在一起。

微笑。皱眉。离开窗子。踱步。头痛。

年历前。刚划掉的日子。昨天。

玻璃料器的烟碟。海鸥展翅。"外转内"？

"你搞的这个，怎么说呢？……别跟那类事相近，研究永动机什么的……"

宽阔的额头，粗壮的脖颈。极粗的白毛线织出的极宽松的高领衫。夹着香烟的手指并不发黄。"肯特牌"。侨汇券。外币兑换券。国际俱乐部还是建国饭店？这位从前的中学教师。还记得被流氓学生气得发抖的事吗？朦胧诗。他没读过他任何一首。单知道他出名了。电视荧光屏上的大特写。对，**鼻翼边这颗痣，巧克力**。多少年没吃过了？

"当然不是胡闹。不是想用直尺和圆规三等分一个锐角。不是想证明地球是方的——是个规整的正六面体。不是，我知道我这个研究课题在这个领域里的位置。我清醒得很。"

"啊。那就好。"

他希望能更节省时间。凝练地谈一谈。

他却悠闲地从沙发上站起。亮闪闪的酒柜前。组合音箱，他那粗肥的食指掀着银色的键。

"喜欢吗？"

"不。不喜欢。"

"也许你喜欢通俗一些的？"

"都不喜欢。或者说都喜欢，但现在不喜欢。现在我不需要。"

"我却需要。你知道我忙了一整天，讨厌的讨论会。好，我调到这种程度。你可以完全忽略它的存在。"

他回到沙发上。

"那么，你需要我怎么帮助你呢？"

"帮我借 3 本书。"

"3 本？什么书？"

胸兜。折叠的纸条。掏出来。

接过去。审视。压到瓷瓶下。真正江西景德镇粉彩瓷瓶。插着两根短短的孔雀翎。眼睛。金蓝色的眼睛。一只大，一只小。

"我们那儿的资料室也不一定有呢。"

"随便您从哪儿去给我借。"

"我一定想办法。怎么给你呢？"

"我星期六晚上来。没借着也来。"

敲门声。

他停立在年历前不动。背对着门。

每个人敲门的方式、节奏、响度都不一样。就如同每个人的指纹都不一样。

这是妈妈。

额上细碎的皱纹。眼下无可掩饰的泪囊。敲门的那只手,无名指的指甲起皱发灰。

开始边敲边叫。

他不动。

"怎么又不在?到哪儿去了?"

"谁知道。"邻居的声音。

《邻居》。彩色故事影片。青年电影制片厂出品。导演郑洞天。这门外的走廊同那电影里相差无几。只是住户少一些。有些房间是学校堆东西的仓库。

妈妈正把带来的什么东西托付给邻居。

"行呀,我转交。"声音很勉强。是隔四间屋的邻居。那家人的丈母娘,或者类似身份的人。她把他看成有精神病的人。

远去的脚步声。

亲爱的妈妈!

他没给她开门。那太浪费时间。他需要接着伏案完成他的论文。因为头痛,他才站起来。几分钟了?

他不需要妈妈给他东西。无论是钱还是实物。

过得去,除非真正吃不上饭了。

坐下。

书桌上散乱的稿纸。垛齐。手指触摸着稿纸的快感。

给新写出的若干页续上编号。

光线仿佛陡地灰暗了。

冬。天短。永动机？直尺圆规三等分一个锐角？地球是方的？"夏天天长，冬天天短，是因为热胀冷缩。"《笑林广记》。

打开台灯。

头痛。

玻璃料器的烟碟。海鸥展翅。大连产。

诗人："……奇人异事。我以前教过的一个学生。他在大学里……"

理论家："什么大学？什么专业？"

诗人："……他不是大学生。不是教师。他属于炊事科，在食堂当炊事员……"

理论家："……做饭？红案？白案？"

诗人："既非红案也非白案。他是烧火工。"

理论家："烧火的？"

诗人："一点不错。他是烧火工。可是他已经两年不烧火了……"

理论家："不安心工作？"

诗人："不是那么个性质。他在搞研究。研究立体思维与立体逻辑，说实在的，他讲那些话时我都听不大懂，不过，我现在相信他不是胡闹……"

理论家："立体思维与立体逻辑！一个烧火工！"

诗人："……两年了。停薪留职。"

理论家："他为什么不考大学哲学系呢？"

诗人："……我说不清，怎么他没有考。他插队回来，就分到那所大学里烧火。他很满意他的工作，能进图书馆，他就知足。有时他也去拜访那些教授、副教授、讲师和哲学系的研究生和学生……不过，次数不多。用他自己的话说：'只在非常非常必要的时候'。"

理论家："这样的一个青年！他不拿工资，靠什么生活呢？"

诗人："他老婆养活他。我认识他的老婆，也是当年我工作过的那所学校的学生。现在是手帕厂的女工。二级工。一个月工资加奖金什么的顶多也就50多块钱。可他说他们够。因为他常常只吃一顿饭。"

理论家:"何必那么俭省?"

诗人:"他说不是为了俭省。而是当他老婆上班去以后,他一研究起来,就常常忘了吃饭。"

理论家:"他父母是干什么的?不可以补贴他们一点吗?"

诗人:"他父亲 1959 年因'反党罪行'被捕入狱。他母亲一直坚持到 1969 年才同他父亲离婚。因为当时搞整党,吐故纳新。她要再不离婚就要丢掉党籍了。1976 年他母亲另找了个老伴。谁知过了一年他父亲就彻底平反了。现在他父母都是有相当职权的中层干部。他母亲和他父亲重见时的情景可以写成一首绝妙的长诗。他母亲不能扔掉后来的老伴,就建议他父亲也重新建立家庭。去年他父亲也找了个老伴。两家像亲戚般来往。可这一切对于他来说,似乎都无所谓。他对我说:父亲母亲都想给我们钱,给我们买这个买那个,还想给我们调工作,可我已经成年了。我有自己的户口,自己的单位,自己的小窝,自己的老婆,自己的研究课题,自己还不够使用的时间……我是我自己,我为什么要他们的钱和东西呢?"

理论家:"确实是奇人异事!"

诗人:"所以,如果你能找到这几本书,最好帮他一下……"

江西景德镇粉彩瓷瓶。仿文徵明山水。颤动的孔雀翎。

而他在另一处地方,头痛。

钥匙在锁孔里转动。

他没有回头。

门开了。

他仍然没有回头。

可是他模模糊糊地感到有些异样。

往常,随着钥匙响、门响,总要响起她的声音"哟,又粘在那儿!"

这回,钥匙响过,门响过,一秒,两秒,三秒,四秒,五秒……终于,"你呀,还粘在那儿！"

节奏不对。音调也不对。

他想回头。也仅止是想。仍然没有回。

稿纸上的公式。

他要把自然语言中的"角度"和"方面"形式化与逻辑化，这是阐述立体思维的一个关键环节。必须用符号表示某些概念之间的关系。

"奶我给你取了，给你热上了。我可不管往你跟前送。你自己去厨房喝吧。喝完刷刷碗。你也该活动活动。"

照例是这时才回头。微笑。

是有点不对头。

她却赶紧转过脸，双手拢头发，装作照镜子。镜子在年历边。离得远，而且也小。

她今天下班时在电车上让小偷把钱包扒走了。钱包已经很旧，里面也仅有一元多钱。一斤酥皮点心。半桶麦乳精。三斤天津鸭梨，处理的。多少肉？他不爱吃肉。可他真该吃。叉烧肉，那就半斤也不到。

"咦，你怎么还不动弹？奶扑出来我可不管！"

她照例是管的。他如果真不动弹，她照例会赶紧去看奶，去把热好的奶倒到洗干净的碗里，有时还打一个鸡蛋进去，给他端到书桌上来，并且照例在他伸手取碗时，要重重地打一下他的手。

他站了起来，微笑着，走了出去。

走廊。公用厨房。同时也是公用水房。

他的公式能不能成立？形式逻辑和辩证逻辑的交叉。星期六去试试。朦胧诗。可他那人一点也不朦胧。"你是不是喜欢通俗一点的？"不喜欢。下星期该去找找沈有鼎。沈老能只听一句就知道他是在一个什么位置上。

他干什么进到这儿来？水龙头。漱口缸。牙刷。牙膏。两管牙膏。"两面针药物牙膏"、"富强牙膏"。他的用完了。她的还剩一半。把那干瘪的"两面针"从牙缸里取了出来。把那还鼓着一半的"富强"也取了出来。把"富强"的下半部卷上去。一圈。又一圈。再一圈。"富强"的盖子不灵了。把"两面针"的换上去。

"你看你！"

她照例跟了进来。不过，比往天慢了一点。奶差点扑掉一半。

"你看你！"

头痛。

他整理着资料卡片。

她刚洗完头，正用梳子拢着。她从不到理发店洗头。洗理费，搭上交通费，她都用来给他定奶。她不懂，也不想懂他那个什么立体逻辑。她不相信，也不幻想他那个什么研究能够成功。可她觉得挺幸福。就这样不也很好吗？

他劝她去看电视。校园里有好几处摆有公用电视。免不了又是东洋货。20寸。

她没去。除非《安娜·卡列尼娜》那样的电视连续剧，她不看。她倚在床边打毛线。他的毛背心。她要试一种新的花样。总数错针数。拆了重来。一元多钱。虽然旧，可也还能使上一阵。懊悔使她的脸颊绯红。

头痛。

隔壁的收录机把音量开至最大。

戏迷。有怪癖的戏迷。

《锁麟囊》。

"春秋亭外风雨暴，何处悲声破寂寥。隔珠帘只见一花轿，想必是新婚渡鹊桥。吉日良辰当欢笑，为何鲛珠化泪抛。此时却又明白了……"

西皮二黄转西皮流水。

"……世上何尝尽富家。也有饥寒悲怀抱，也有失意哭号啕……"

她撂下毛活，走了出去。

他抽出三张卡片，重描了一个没写清的字。沉思。

"……耳听得悲声惨心中如捣。同遇人为什么这样号啕？……"

"休息时间还不许听戏？……"

"我们要搞研究！你们就不能通情达理点吗？……"

"……叫梅香你把那好言相告，问那厢因何故痛哭无聊？……"

"……神经病！吃饱了撑的！……"

"……你文明点儿！德性劲的！……"

"……蠢才问话太潦草，难免怀疑在心梢……"

"……搞研究？不怕人笑掉大牙，有能耐搬教授楼住去！……"

"……那怎么着！赶明儿就住给你们看看！……"

"……休要噪，且站了，薛良与我去问一遭……"

门砑地一响。又一响。

那程砚秋走远了点。

"……人情冷暖凭天造，准能移动他半分毫……"

"真欺侮人！"

他扭过头去。

她坐在床沿上。两手撑在褥子上，眼里闪着泪花。

一见泪花闪动，他赶忙过去。走？跑？飞？找不到准确的动词。总之他倏地便坐到了她的身边。

"犯不上！"

"他们干吗就那么不通人情！"

"……分我一枝珊瑚宝，安他半世凤凰巢……麟儿哪有神送到，积德才生玉树苗……"

程砚秋不知这世界上究竟出了什么事，依旧低回婉吟着——当然，那是他30年前留下的声音，这声音被粗野地扩大到噪耳的地步。

他突然笑了起来。

她用拳头捶着他的肩膀。"人家气得哭。你倒笑！"

"你听，"他指着隔壁，"《锁麟囊》这出戏的立意是让大家相亲相爱，可他偏拿来这么搞，你不觉得滑稽吗？"

她也笑了。点头。"真滑稽！"

那个丈母娘，或者类似丈母娘的那么一个角色，把妈妈带来的东西送来了。

两瓶仙鹤牌果味维生素C。

妈妈还有些话，烦她转述。她却一句也没转述。压根儿就没听那些话。

她两只眼在屋里乱睃。嘴角挂出两条意味深长的笑纹。

他道谢后复又坐回到桌前。

她请那邻居坐下。人家并不坐。只是仔仔细细地把她端详。那眼光仿佛要剥开她的衣服。她脸红了。

"你……有了吗？"

她一听就懂。摇头。

"谁的毛病？"嘴角朝他后背一伸又一缩。

她真想把她轰走。

"我们现在不想要。"

"啧啧啧……"哪里是真正关怀！"早要早了，晚了你也受罪。"

她不想进行这种谈话。

她却意犹未尽。

只好下逐客令了。

"您也该歇着了吧？"

"那可不。谁像有的人，住这儿只按灯头算电钱，就整宿整宿地不拉灯！"

说谁呢？

总算走人了。嘘出一口气来。

打开瓶盖，取出一枚果味维生素C。长圆形的搁在手里显得玲珑可爱。不。不要这一枚。不要粉红的，要淡绿的。对。淡绿。淡绿的草地。草地上的长椅。是从插队的地方回来，等工作的时候。每天到街道办事处去一次。那劳动科的科长就像罗马教皇似的，仪态万方。觐见教皇出来，他们总到那儿去。坐在那长椅上，不谈话，坐着。想。因为想得一样，所以他们那也便是谈恋爱。

她走到他身后，手里捏着那枚果味维生素 C。淡绿色的，手伸到他嘴前，往他嘴里送。他本能地伸出舌头，接住了。

头痛。今晚头痛。从未像今晚这样头痛过。即便那凉滋滋、酸溜溜的东西化在嘴里，也没减轻他的头痛。

也许，真该到医院看看了。

不是偏头痛。是高血压性头痛？颅内压变化引起的头痛？还仅仅是神经官能性头痛？

不要让她看出来。不，不必告诉她。

明天到校医务所去要一点咖啡因麦角胺来。不。不去。那回那个大夫说过："停薪留职的人以后我们可不管！"是开玩笑。百分之一百的玩笑。可他应该把这玩笑当做一条自觉遵守的原则。你应当让别人开不出这样的玩笑来！

她轻轻抚摸着他的头发。很长了。三个多月没有理过。但并不脏。他经常冲洗。往往连热水都不用。就到水龙头那儿用凉水冲。头痛不是那个引起的。实际上越用凉水冲，他的抵抗力就越强，但未能抵御住头痛。

他扭过头。仰起头。他们对望着。

"你不舒服吗？"

"谁说的？"

"你要什么？"

要咖啡因麦角胺。一般的止痛片不行。复方阿斯匹林不行。药房里好不好买？最近的药房在五站汽车路以外。外面刮风了吗？《锁麟囊》仍在继续，已经唱到二黄三眼"一霎时把七情俱已昧尽了"。声音已经调小。其实他们自己也受不了。那么高的分贝值。真滑稽。咖啡因麦角胺。就这个灵……

"你要什么？"

"我要你早点睡。"

"……"

"还要你……明天你给自己买一条拉毛围脖吧。你那头巾太旧了，你一定围着拉毛围脖回来见我。你知道，我喜欢淡绿色的。没有淡绿色的，淡蓝色的也行。"

"……"

"用过年卖旧报刊得来的那些钱，添上点，买吧！你答应我，你点头！"

她点头。她在心里决定不买。

1983 年 1 月 30 日

写于北京垂杨柳

星期五下午六点半的故事

严格来说，这故事开始在星期五下午六点二十六分左右。

一听有人敲门，我就去开门。

门开了约 30° 角。

门外是一位陌生的妇女。

是一位年轻的陌生妇女。

是一位年轻而且可以说美貌的陌生妇女。

一绺吊在额头的发鬈。

额头的皮肤很白很细。

一双挺大的眼睛，双眼皮。

颧骨有点高。颧骨上飘着两朵红晕。

嘴过大。嘴岔过长。微张着嘴。

"你找谁？"

"同志，我求求您。"

没错，是那么句话。

"同志，我求求您。"

一分钟里。或者不足一分钟。

我作出了多少种判断?

"美人倒"。你刚把她让进来,她便猛地往你身上一倒。你还没反应过来,她已经尖叫起来:"救命呀!"门外立即涌进几个男的,有的立刻拉起她,有的立刻扇你的耳光,并且把你扭住:"臭流氓!老实点!"邻居们倘若及时出现,那"美女"便会靠在"丈夫"身上控诉你的"勾引",而扭住你的人则会吵嚷着把你往派出所送。这时候便会有他们一伙中的人提出"私了"的方案。倘若邻居们一时并无察觉,他们一伙便会在你没有回过神以前,将你家中的贵重物品洗劫一空,飘然而去。

疯子。臆想狂。往里一让,后果不堪设想。她以为这是什么地方?我能满足她什么怪诞的要求?

"现代派"。自由化。竟然"派"到、"化"到我家来了!想干什么?罗曼蒂克,也没这么个罗曼蒂克法的!宪法规定,公民的住宅不受侵犯。她是不是早就盯上我了?以后坐公共汽车时可得多观察观察周围。

上诉者。想告御状。没告出名堂来。钱票粮票两空。于是乎不惜敲门求乞。劝她回去"抓革命,促生产"——啊,如今不是这么个说法了,劝她回去积极地搞承包。可上访者一般都憔悴不堪,她却容光焕发。

卖鸡蛋的。农村姑娘如今也有这般不俗的。她那口音可不"怯"。鸡蛋筐在哪儿呢?在脚底下?这月国家一户供应六斤。难怪她们只得跑进居民楼来敲门兜售了。鸡蛋我可不要。

找错门的。那就该转身走。却为何并不离去。对了,她也没说找谁,只是说——"同志,我求求您。"没这么着找人的。可也许她下一句话就是:"×××住在这儿吗?"你总不能见了陌生人就往坏处想。

邻居。不过是同楼的邻居。真怪。平房院,大家住的"盒子"贴得并没这么紧,邻居们都互相熟识、互相照应。一住进这预制件的居民楼,"盒子"挨"盒子"大家却可以"老死不相往来"。同住一楼很久了,还可以相逢不相识。这位准是楼上哪个单元的邻居。想借什么？改锥？花扳子？电烙铁？体温表？你倒开口哇！

……

一分钟。或者还不足一分钟。我望着她。她望着我。我的表情变化一定怪丰富的。

"砰"地一下把门合上算了。那也是个办法。

爱人孩子他们看电影回来。可以绘声绘色地把这短暂的一幕讲给他们听。是否多渲染一下头一种可能性？嗯，不妥……

我没"砰"地一声把门合上。

为什么？主要是因为她那双眼睛。

那双眼睛坦诚地望着我。你不能对一双充满无辜和信任的眼睛"砰"地那么把门一合。你试试！

"你有什么事？"

"您家有电视吧？"

头"嗡"地一声仿佛胀成了高压锅。

果然！"美人倒"！她——不，他们——知道我上星期刚把黑白电视机换成彩色电视。日本 JVC 牌。十四吋。

该死，手竟僵住了。竟不能立即"砰"地把门撞上，再关上保险、插上插销。

啊，他们盯上我了！据说他们作案都是早有调查、早有部署的。肯定的，那天运回电视机时就被他们盯住了。不。说不定还早。说不定在百货商场就被他们盯住了。他们选定了今天下午。选定了这个时候。他们竟连我爱人和孩子看电影去也调查好了。家家都在忙着做晚饭。菜板乒乓响，油锅吱吱叫，有时还开着收录机，谁顾得上来管我们家？他们全算计好了！就是我"砰"地关上门，他们的"前哨"既到，总不会就此撤退，他们一定是彩电不到手绝不甘休！呜呼！命运何薄于我？……

手不那么僵了。却依然没有"砰"地把门合上。也许开时角度减了 5°——6°，却并没有合拢。

为什么？还是那双眼睛。

　　那双眼睛在我看来，充溢着无辜。人是不可能一直伪装到眼睛的——特别是离得很近的情况下，眼睛最能说明问题。充其量只能是眼睛里空空洞洞，让你什么也看不出来。装出坦诚、无辜、信任、信托一类的眼色，并且使其充溢于眼睛，使其稳定，那几乎是不可能的。

　　头脑不是高压锅。不应当成为高压锅。

　　她肩后确乎没有人影。藏在楼门外了？天还没黑。藏不好的。

　　为什么她非是"美人倒"不可？

　　应当继续对话。

　　"你究竟有什么事？"

　　"我想在您家看一会电视，就看半个小时。行吗？"

　　"在我家……看电视！？"

　　"嗯。"她顺下眼睛看了看她手腕上的表，再抬起时，眼神里增添了一些焦灼的成分。

　　精神病。果然！

　　"离七点还早。现在还没电视呢！"

　　也许是在一次看电视后被对象遗弃，因此落下了这个病。不到开播时间就要看电视，跑到一个不认识的人家来敲门，要求在人家家里看电视，"就看半个小时"，可谁受得了她来折腾半小时呢？事后谁说得清呢？

　　"不——"她见我的手在合门，便声促气急地解释说："正式节目是没开始。可'弗洛密'就要开始了。"

　　"弗洛密"？啊，FOLLOW ME，"跟我学"，电视英语讲座。哪里来的精神病？如果有，那我倒成了患者。原来她是要看电视英语讲座"跟我学"。

　　仿佛我身上原来披有一副铁铸的铠甲，此时倏地自动滑落到了地上，顿觉一身轻松。

　　我把门的开度恢复到30°。毕竟还是蹊跷。

　　"你怎么不在自己家看？"

　　"回去看来不及了。"

“落下一次就那么要紧吗？”

“这星期一和星期三我都因为有急事耽误了。如果今天星期五再不看，这一课就全错过了。”

“你是哪个单位的？”

“我有工作证！”她高兴得双眼放光，连忙翻着衣袋，“我有——我给您看！”

我把门开到50°。

“请进！”

“请坐！”

她坐下了。

我把电视打开、调好。“FOLLOW ME”刚刚开始。你说多巧！

“请看吧！”

“谢谢！”

她就真的那么看起来了。边看边跟着说。

我给她倒了杯茶。

“您喝茶。”

“啊，Thank You！”

我从来不看“弗洛密”。我是机关里搞行政工作的。从头开始一项事业对我来说已经不可能。我看电视只爱看戏曲和相声，连那种有李谷一唱插曲的电视剧我都赶不上趟了。可她的生活显然刚刚开始。她眼下虽然分配在洗染店当营业员，可她的发展方向还有着众多的可能性。她坐下来以前告诉我，她想考旅游学校。而旅游学校报考时要面试英语口语。所以“弗洛密”她一课也不能落。可是除了她这一代人，我和爱人的一代，以及更老的一代，又会有谁能像她一样，敲开一扇陌生的门，求一位陌生的人，让她及时看上一课半小时的“弗洛密”呢？

我在一旁收拾餐桌。撤去我用过的碗筷。把不用热的留待爱人和孩子吃的菜用纱罩罩住。我不时瞥视她一下。她坐在那里，不靠椅背，把脊背挺得笔直，右手里提着个小记事本，左手拿着支圆珠笔，一边看着，说着，一边记着英语短句。我直到这时才注意到她穿得样式朴素但质地考究。她的肩膀和腰身都还显得稚嫩。活像一朵含苞待放的蓝玫瑰。

她一定注意到，家里只有我一个人，一个对于她来说是陌生的男人。

她为什么就没有想到"男人抢"之类的可能性？她怎么会毫无戒备地跨进了我家的门？这类行径对于她来说是头一回还是已经多次？

"你常这么样，跑到不认识的人家里看'弗洛密'吗？"

她没听见。

我走拢点，再问一遍。

她扭过头，抱歉地一笑："啊，不。头一回。First。"又扭过去，接着看那电视。

我觉得自己脸红了。

我到厨房里去。烧开水。

倘若她还没有看完"弗洛密"，爱人和孩子便回来了，我来得及解释吗？爱人会不会顿生误会？

爱人总还是可以说通的。倘若这时有人敲门，是邻居来收房租、水电费，看见了，将留下什么印象？唔，邻居或许不在意，以为她是我家的亲戚。可要是单位里的同事来串门呢？要是爱人的那个爱唠叨的大嫂子来了呢？我能跟他们说清楚吗？他们会怎么看待这件事呢？

怎么水壶马上就响了起来？

啊。点上了火，可水壶里并没有灌上水。

灌水。灌得太满了。再倒出一些去。

坐水。水珠滴落在火上，火苗爆得特大。

最好这半小时平平安安地过去。爱人和孩子在她走后再回家。这段时间里谁也别来。可要是她偏在楼门口跟爱人孩子打了个照面呢？要是偏有邻居、熟人看见了她从我家单元出去呢？还有楼那边居委会的人，存车处的人。

我怎么会尽想这些?

往厨房外走。路过镜子，啊，我这个男子汉，脸怎么这么红?

她仍然坐在那儿，脊背挺得笔直，跟着学。

这故事可怎么结束呢?

1983 年 2 月 23 日

于北京劲松中街

一根很小很小的刺

一、二、三、四。

16、18、20、22。

我记住了。

是在西北的一所城市记住的。

不。更正一下：是在西北那所城市的远郊记住的。

我和夏莹大姐应邀到那所城市去讲学。

夏莹大姐比我大十多岁。她是一位红学家。每当她觉得我的行为不恰当时，便会乐呵呵地责备说："你呀，不当家花拉拉的！"这"不当家花拉拉的"究竟什么意思，红学界还在争论。不过大姐说这话时，她的意思我总能意会无余。

讲学之余，我们也在当地进行一些参观游览。有一天，接待单位的党委书记老张，建议我们同他一起乘小汽车到远郊一个叫蟠桃山的地方舒散舒散。

夏莹大姐问老张："有多远？"

老张便问坐在一旁的司机："有多远？"

那司机五十来岁，个头不大，身板很敦实，脸颊上不知为什么有两条自眉梢到嘴角的对称纹。他回答说："八十多公里。"

夏莹大姐吸了口气："啊哟，来回一百六十多公里，要用多少汽油啊！这合适吗？"

不等老张开口，司机抢着说："我有攒下的油。你们别错看了老张。他最不爱玩，也不乱使唤这车。是我看他这阵子累得可怜，要送他去舒散舒散。他想起了你们。反正小车正好能坐下你们，一块玩玩，就个伴，也有意思。去吧。那地方公共汽车到不了跟前。"

我听了觉得这司机心诚意切，不该谢绝，便连忙答应说："去！"

大姐望着我，乐呵呵地责备："你呀，不当家花拉拉的！"

责备归责备，最后大家还是一起去了。

那蟠桃山真不错。

当然，不能跟那些显赫的名胜古迹相比。所以叫蟠桃山，倒不是因为那里有蟠桃林，而是有座道教的蟠桃宫，是清代建筑，"大路货"，殿宇无甚特色，里面的泥塑俗不可耐。那蟠桃宫其实没什么逛头。但整个蟠桃山却实在让人眼目一爽。从城里往这蟠桃山开，一路八十多公里，满眼尽是土黄色，难得看见几株碗粗的树，谁知一拐进这蟠桃山山坳，真叫"神来之笔"——忽然间满眼青翠，山上最老的树总有腰粗，而且树下有草，草中有花，好一幅天然图画！加上耳畔传来汩汩的溪水声，夹杂着数声清脆的鸟鸣，几疑身子已回到了江南。

"原来西北黄土高原上也有桃源仙境！"夏莹大姐赞叹说，"看上一眼就折回去，也不虚此行了！"

谁甘心只看一眼呢？从蟠桃宫出来，大家踩着铺有头年落叶的小径，朝山林深处走去。据老张说那些树大都是麻栎树，树根雕烟斗最好。他说时便从衣兜里掏出他的烟斗，烟锅足有茶盅大，举起给我们看，那烟斗上的花纹果然错落有致，可以想象为各种动物或风景。不过，他刚想往里填烟丝，夏莹大姐却摆手说："啊哟，不当家花拉拉的！引起山火怎么得了？"老张一听，便把烟斗又搁回衣兜里去了。

再朝前漫步，我们自然而然地分成了两组。我同夏莹大姐落在了后面。夏莹大姐且观望且议论："可见古代的大西北，未必都那么袒胸露腹，大地的衣衫，原也是细密苍翠的，后来大约是战乱、灾荒，弄得山林砍尽，水土流失，才呈现出千里土黄的皴裂面目。我们如今应当给这大地重绣花衫……”我打趣地说："我们是不是应当学一下晴雯,来个病补孔雀裘?"大姐举起弱如棉球的拳头,佯嗔地说："不当家花拉拉的,怎能这么胡乱比喻?"我便笑着朝前跑去。跑了几步,眼前只觉什么东西一闪。停住脚,俯身仔细望,发现一丛灌木下面,从枯烂的落叶中蹿出了不少蕨类植物的小苗,两只指甲盖般大的小蛙,活像绿玉雕成,正停在一株蕨苗旁。这一发现,竟令我格外激动。这不更让人几疑身在江南水乡了吗?我回身朝大姐嚷了起来:"快来看!小青蛙!"大姐将信将疑,举手扶扶眼镜,快步俯身趋前。逼到我身后,连连问:"小青蛙么?真有吗?你看清楚了吗?"

我忙指给她看:"这里。这里。你看,肚皮还在一动一动。可能是旱蛙,要不,就是附近有山泉。"

大姐平日俯案攻读过甚,目力不佳,那副眼镜大概早该另换,但她童心未泯,把身子俯得更低,一手把眼镜扶来扶去,着急地寻觅着:"哪里?哪里?怎么我一个也看不见。真有小蛙么?"

两只小蛙觉到了响动,倏地朝两个方向蹦去,我着急地伸出右手食指指画:"这里!这里!快看呀!"

大姐还是没有看见,小蛙却逃遁得无影无踪。而就在我指点之际,食指触到了那灌木,不禁"啊唷"尖叫了一声——只觉得一根刺嵌进了指尖中。

那是一根很小的刺。唯其小,所以尖、细,让我觉得异样地疼。大姐的注意力即刻从小蛙转到了我指尖,她把住我的手,仔细地观察着,鼻尖几乎快触到我手指上。终于她看出了那根黑刺,便掐住下端给我往外挤,我疼得冒汗,咬住牙不吭声。大姐没有挤出刺来,也急得额头上冒汗。她连连掏摸身上衣兜,找可以用来挑刺的针状物,找不到。我知道自己身上也没有别针一类东西,便忙对她说:"算了算了,回去再说吧。"她惒惒地望着我,问:"不疼么?"我说:"不怎么疼了。"她摇头:"不可能。虽然是一根很小很小的刺,可扎在指尖上,随时都是疼的。"我甩甩手说:"不要紧。区区小刺,何足道哉,咱们继续散步吧!"

真怪,那么小小的一根刺,竟能大大破坏我的游兴。我嘴里说不疼,心里却惶急难耐,时而把手指伸进口中吮,希图将那根小刺吮出来,时而用左手一阵乱挤,幻想能借巧劲将那根小刺排除。但那根小刺却稳稳地嵌在肉里,把丝丝缕缕的痛楚,一阵阵递入我的心中。刚才还显得眉开眼笑的山林,仿佛一下子都陪我蹙眉歪嘴起来,那草地上耸起的野花,再引不起我采撷的兴趣,那婉转娇啼的鸟鸣,反使我烦躁抑郁。可怎么好呢?

走在前面的老张和司机,终于也发现了我的窘态。听说是手指尖上扎进了一根刺,也便都围在我身前,忙乱起来。老张难得出来舒散一次,本来已把外衣纽扣解开,打算尽兴畅游一番,及至把我扎刺的手指观察了一番后,宣布我的手指已经开始红肿,便把外衣纽扣一个挨一个系好,严肃地说:“下山,上车,开到有医务所的地方,让大夫给取出来!”

我甩甩手说:“不用。问哪个游人借根针,挑挑也就出来了。”

夏莹大姐焦急地张望着:“近处哪有游人?快回蟠桃宫去吧,那里有游人,总能找着个有别针的。”

老张已把衣扣全部系妥,他说:“防患于未然。乱挑,挑出来,也有可能感染。得了破伤风怎么办?你们来这里讲学,出了事我得负责。”

正说着,忽见司机扭身朝山坡下跑去,他那微伛的脊背,显露出极度的紧张,把上衣后部绷得紧而抽动,因为坡度陡,落叶和藓苔类植物打滑,他下到中途不慎来了个屁股蹲儿,于是他爽性借势出溜了下去,我们眼睁睁看见他下了山,跑向了汽车,又眼睁睁看见他钻进了汽车、钻出了汽车,正猜想他何以如此这般时,他已转身朝着我们,扬着一手臂,仰着脸,高兴地朝我们嚷:“有啦!有啦!”

我们下到山下,来到他身边,才看清楚他手里捏着一只别针。原来,他听我们讨论如何对付那根刺时,想起汽车坐椅上铺的大浴巾,原是用几只别针固定在椅背上的,于是便急不可待地跑下山去取那别针,好给我挑刺。因为他已经听到老张关于害怕感染的话,所以我们刚到他身边,他便用打火机的火苗,烧着那别针的针尖,连连地说："消毒了，消毒了。用这个挑，保险干净。"

夏莹大姐便向他要那别针，她说："让我给他挑。他是为了让我看那小青蛙，才弄上这根刺的。他是为了把自己发现的美，贡献给我啊！"

尽管大姐加上了两句有哲理性的话，司机也依然不舍那枚别针，他诚恳地说："您眼神没有我好。常人的眼神都不如我们司机。还是让我来挑。"

于是我便伸出那根倒霉的食指，任他去挑。他挑得既谨慎又耐心，几乎每挑一下都要问一声："疼么？疼您就言声。"尽管几乎每一下都疼得钻心，我只是强笑着说："不疼。一点儿也不疼。"彼时大姐和老张站立两厢，感情也都受着那根小刺和针尖的支配。

司机的脸，凑到了我的脸前。他脸上那两道同常人不一样的竖纹，显得格外触目惊心。从他身上散发出汗味和烟味。他额上那因用心而蹙起的横纹中，满满沁出一串晶莹的汗珠。刹那间，我感到他是那么可敬可爱，同时心中涌出一股浓浓的愧意——玩到现在，我竟然都还没有打听他姓什么叫什么。

我们四个人几乎是一齐欢呼起来，因为八只眼睛都清清楚楚地看见，那闪亮的针尖终于拨出了那根又细又长又黑的小刺，司机用针尖把那小刺郑重地挑起，然后把嘴凑过去，用力地一吹，于是一场危机总算宣告结束。

因为要挑出那根小刺，进针颇深，小刺一出，我的手指顿时迸出血珠，然而我不但不感到痛苦，当把手指搁进唇中吮吸时，反有一种极度的快感。我又一次深切地感受到：自身的创伤实在不算一回事，最可恨最难以忍耐的是异物的侵入。

小刺排除，顿觉山林恢复了灿烂的面目，每一片树叶，每一棵草茎，似乎都透亮得令人心醉，而每一声鸟鸣，每一阵轻风，也都变得令人格外心旷神怡。

"痛快了吧？"老张复又把衣扣一个挨一个地解开，感慨地说，"干了这么多年革命，我可算知道了，让人难受的往往不是前面挡道的大山，而是鞋里抖不掉的一粒沙子；扎到肉里的尽管是一根很小很小的刺，它给人的痛苦，可不一定比得场大病轻！"

大家都连连点头。游兴顿增。倘若没有这根小刺引起的危机，也许我们反不会这么珍惜眼前的景物和正在流逝的时间。所以危机也有它的好处。一点危机也没有，人可能反倒慵懒倦怠，毫无意趣。

司机把我们引到一条小溪旁。平平常常的小溪，水未必清，周遭的草木也未必苍翠，然而当我们在溪边坐下时，只觉得世上的良辰、美景，毕集于这道溪水两旁了。

老张同大姐坐到两块大卵石上，闲聊起来。我同司机离他们十多步，我带了个速写本，便请司机坐到溪边一块高石上，自己坐到低处，画起他来。

司机端端正正坐着，问我："您还疼吗？"

我勾勒着他的形象，告诉他："一点也不疼了。要疼，还能拿这笔吗？"

我觉得他未免太端庄，身子几乎不动，脸绷着，只是眼睛望着远处，便对他说："你随便好了。活动着也没关系。"

他却仍然不动，诚恳地说："我能不动。我知道，你们画人的时候，那人就得不动。"

我笑了："你说的那种画，叫素描。被画的人，叫模特儿。那倒是不让动。可我是画速写，不怕动。越是动，越能练出速写的功夫哩！"

他稍微松弛一点了，可显然并没有听懂素描和速写的区别，他大概以为我允许他动，只是出于对他客气。

他眼睛还望着远处，那眼神显得心事重重。他仿佛是自言自语地说："对了，是那么个词儿——模特儿。他们看上我那大小子了，说他长得结实、匀称，让他当那个，我不让……"

我问："他们？谁们呀？"

他告诉我："师范学院，有个艺术系吧？反正是大学里画画儿的，他们说一个钟头能给好多钱，我说多少钱也不让去，不去。不靠手艺挣钱，我不让。"

我停住了手中的笔："那……您现在怎么愿意让我画呢？"

他把眼睛转过来，落到我脸上，显出微微吃惊的表情，他没想到我会提出这么个问题，愣愣地望了我几秒钟，他便坦然地回答说："您又不是拿钱雇我。能让你们休息好了，我心里就高兴。"见我没动笔，便又使劲点着下巴说，"画呀！画吧！画！"

我画他。我把速写改为素描。我能画出他的形，我怎能画出他的神？

他双手抱膝坐在那岩石上，阳光斜射着他。他脊背微伛。衣衫下显露出壮实紧凑的肌肉。平头，头发不算浓，还有点花白。他的面容其实还应当算作英俊，只是那两道奇特的竖纹……

我望着他，他望着远处。我画，他想心事。我们慢慢地聊着。

"师傅，我一直没问您……该怎么称呼呢……您姓？"

"啊，我姓秦。我叫秦连福。"

"秦师傅，您这人可真好。您开了好多年车了吧？"

"可不。一参军就学的是开车。一直开到过大柴旦。听说过这地方吧？"

"是在青海？"

"海西。我们修的那条公路。后来我转业到地方上，先也是开卡车，这几年才改成开这小车子。"

"您家几口人？"

"七口。我老母，我老婆。还有四个秃小子。"

"嗬，您那么多儿子！都工作了吧？"

他脸上的肌肉抽动了一下。咬筋一鼓一落。

"都没正式工作哩。都待业。"

我停住了手中的笔。

"怎么会呢？"

他没吱声。

"大的多大？"

"大的22。底下隔两年一个。"

"老张怎么不给你安排？起码该安排一个！不是五十岁可以提前退休吗？你退了，让老大顶替嘛。反正你会开车，到哪个单位去不能补差！"

"老张也没辙。我们是机关，事业单位，没有顶替一说。我老婆在家锁扣眼，也顶替不了她。"

"为什么不让他们搞个体经营呢？哥儿四个合起来开个小饭馆，也是个办法嘛。"

"我不想让他们经商。老大、老二靠老张帮着联系，到建筑公司当着临时工，筛砂子，老三、老么就让他们跟着大舅学木匠手艺呢，要出师，怕还得二年。"

"那您家里现在还挺困难。"

"没啥。心里不踏实，就是怕他们学坏。"

我画不下去。他眼里仿佛涌出了泪水。

沉默。

溪水活泼地奔流着。那边老张和大姐不知为什么笑了起来。

"您脸上这两道纹，长得可真特殊。"我换个话题。

"人家说这是'二龙戏珠'。"他告诉我，"其实不是天生的。是烧的。"

"烧的？"

"烧的。在部队救火的时候，让汽油桶蹿出的火苗燎的。开头满脸都是泡，后来治好了，一个泡也没留下，可脸皮抽搐了，就挤出了这么两道纹。可也怪，两边一样，人见着都以为是天生的。"

"我原来也以为是天生的。没想到你是个救火的英雄。为这事立功了吧？"

"二等功。"他平平淡淡地说，"我家里存的有立功证，不知掖哪儿了，要找，兴许能找出来。"

我画着他脸上那两道纹。应当画出来让人觉得有一种特殊的美。

"您给老张开几年车了？"

"两年零三个月了。这也快离开他了。"

"为什么？"

"他不是要升了吗？"

对。有这么个信儿。老张该升了。

"您不跟着去？"

"不，人家那儿自然派司机。"

"家里一摊事坠在心上，按说您提不起兴致，可您还能想着让老张舒散舒散，让我跟夏大姐开开眼界……您这人心眼真好。"

"是吗？"他仿佛是认认真真地想了想，然后出乎我意料，并不顺口谦逊，而是郑重其事地说，"我这心眼是好。好就是正，正就是好。"

我该怎样画出他的心眼来呢？

他继续说："我心疼老张，也在他那个'正'上。他小儿子也待业呢，也当临时工，筛砂子，跟我老大、老二在一块儿干活。没见他用他那权行点什么歪的邪的。三个月没见他歇过礼拜了。开会快把他开散了架。所以我早憋着把他架出来逛逛。我想着，不在他给我开个大后门，把我四个秃小子安排上正式工作，才算好。他升上去，行得更正，让'正'字更有威风，大伙都像他那样，甭说我那四个秃小子，将来谁家也不犯难，那才算真好哩！我这人嘴夯，这话颠三倒四，你能明白么？"

我说："明白。真明白。我和大姐，我们也要正。"

他问："你画完了么？"

我说："完了。"

他便跳下石头，走过来，兴奋地说："我看看！"

我便把画递给他，让他签名，又说："就送给你，留着当个纪念吧。"

他签了名，端详着那画，憨厚地说："不怎么像，我不要。你们弄这个的，你们画了有用，你留着。"

我便留下了那画。

后来我们玩完了，便回城了。这些天我们完成讲学任务，回北京了。我本以为会由秦师傅开车送我们去机场，可不是他开的车。至今再没见过他。

他的素描像挂在我家墙上。我总忘不了他。是他用烫过的别针给我挑出了那根很小很小的刺。而且我永远记得他说过的那些话。我应当"正"，应当为早日改善他家的状况，特别是那几个秃小子的状况，尽我的本分。

我时时在心中默念：

16、18、20、22。

一、二、三、四。

1983 年 4 月 29 日

于北京劲松

大　塔

　　我们胡同里的人，都管他叫大塔。

　　他是个搬运工。也不知道从什么时候起，北京人把"壮实"的"壮"字读成zhuǎng，为什么都管他叫大塔呢？就因为他长得zhuǎng，不过他可不是黑铁塔，他长得还挺白净，在游泳场上他叉腰那么一站，得说他是座白石塔。

　　大塔在胡同里挺受人尊敬，我们比他小的男孩子们对他简直就是崇拜。

　　1976年夏天北京随着唐山闹地震的时候，我还小哩。大塔在那时候的英雄行为，我没得亲见，可没少听说。唐山大震影响北京的当夜，胡同里有一家的山墙震塌了，那家好几口人都懵懵懂懂地逃出了屋，可还有个八十多岁的老太太卧在床上，按说他们该赶紧返回屋去，把老太太抢救出来，可脚下的地还在抖动，只觉得满院的屋架子都还在嘎啦嘎啦响，竟然吓得在院心拥作一团的儿子媳妇孙子孙女们谁也不敢进屋。这时候，大塔出现了，也不知道他怎么那么快就到了这个院——他住在离这个院差两个门的另一个院里，大伙还在那儿哆嗦呢，他却已经从塌口蹿进了屋里，不到一分钟，只见他连床带人把那老太太稳稳当当端到了院心。

　　救老太太那年，大塔的岁数正好比我多一倍——他二十六，我十三。

　　大塔没插过队，也没上过兵团，因为大塔是独生子，他爸爸也不知道是什么时候去世的，他只有个妈妈。他妈妈显得挺年轻，不知底细的人，甚至会把他妈妈认作他的大姐姐或嫂子。

从五六年前起，我们胡同里的小伙子们——包括上小学的男孩子，也不知怎么地就兴起了一股练武术的风，有练形意拳的，有练八卦拳的，甚至有练硬气功的，可大塔哪样也不练。原来胡同里的小伙子们敬大塔三分，是因为谁也没有他个头高、身子 zhǎng，后来有的觉得自己练会了几手，就想通过压倒他"拔拔份儿"，屡次三番约他到胡同当中的空场上"比试比试"。开头，他对这类挑逗一律报之以微笑："我不练你们那套，我比不过你们。"后来，几个坏小子串通一气，存心接二连三地激他，只说是要跟他比比力气，他要不答应，"赶明儿就甭想让我们叫你大塔，你这塔算是栽了！我们只管你叫大栽！"据说一边说着一边就冲他上了手，大塔急了，这才在胡同当中的大槐树下跟他们较量了一场。我那时候，刚上初中一年级，听到有这样的场面岂能放过，跟着小伙伴们一溜烟地朝那胡同空地跑去，半道上跑丢了一只球鞋，都顾不上去捡……

据我亲眼所见，他们是跟大塔比摔跤，不限姿势，也没有什么规则，他们一个接一个地上去跟大塔摔，他们挨近大塔身体之前，真是个个论身形有身形，论步眼有步眼，论手法有手法，大塔跟他们相比，可真跟戳地不动弹的石塔似的，显得笨重，显得颟顸，可只要他们一接触上大塔的身体，也不知大塔怎么一猫腰，一挥臂，他们就不折不扣地来个屁股蹲儿。

结果是所有练过武术的小伙子们更佩服他，"大塔"、"大塔"地叫他叫得更透着亲热。

我问过他："大塔哥，人家说你的功夫是偷着学出来的，你的师傅是个九十九岁的老和尚，真的吗？"

他仰着粗粗的脖子笑了："哈哈哈……我的功夫就是上班的时候练出来的，我的师傅名叫'大个儿'！"

后来我弄明白了，"大个儿"就是货物，所谓"扛大个儿"，就是指搬运工的日常工作。

　　胡同里的人们大都瞧不起搬运工这个工种，但谁又都离不开搬运工。有一日我就亲耳听见一位四十来岁的妇女——她那头发烫得别提有多怪——在大门口训斥她那上小学的儿子说："你就甭好好念书吧！赶明儿你啥也不会，给人扛'大个儿'去吧！你想活活把我气死不是？"但她其实并不存在气死的可能性，她活得有滋有味，她家里不断添置"大个儿"，有一天她就让她那儿子去找大塔，原来她在附近百货商场买了一台洗衣机，还是双缸带甩干的，她一没雇"小蹦蹦"（即三轮摩托），二没雇平板三轮，她自然而然地想起了大塔，结果，是由大塔到那百货商场去，替她一口气扛回家的。把那双缸洗衣机搁下以后，大塔虽是大塔，也禁不住喘粗气儿。她又递烟，又让儿子沏茶，还说要留大塔吃饭。大塔憨憨地笑笑，操起劳动布工作服下摆擦擦脸上的汗，对她说："赶明还有'大个儿'要扛，您只管叫我去！"说完这句，竟一点头转身走了。那妇女后来大概果真又请大塔去为她家扛过"大个儿"，但训斥她儿子的话语，大概也没有什么变化。

　　大塔就是这么好说话。胡同里无论哪家要搬家、运重东西，乃至于仅仅为喷墙要挪动大衣柜，都把他请去帮忙。只要他在家，肯定随叫随到。有时他也接过递来的烟，抽；有时他也端起为他沏的茶，喝；但留他吃饭他是一次没应过。他总是说："我妈给我做着饭呢！我要不回去吃，剩下该搁坏了。"

　　但四年前有一天，他忽然必须从那以后自己给自己做饭了。胡同里为此充满了窃窃私议。我那时已经快高中毕业，人世间的事懂得多了，听了院里人们的种种叙述、议论、猜测与感叹，心里很不是滋味儿。我第一次意识到人世的复杂和人心的莫测。

　　原来是大塔的母亲嫁人了。她好像没有道理在傍五十岁时去改嫁，但她竟蔫不叽叽地改嫁了。她大约是在一天的清早由大塔送到她那丈夫家去的。据说大塔的母亲年轻的时候就很风流，大塔的父亲没去世时，她就跟现在的这个丈夫有情有意。当然，关于她还有许许多多不堪录于纸面的訾议和揣测，但其实也无从稽考。总之，大塔从此独立生活。他母亲再没来过他这里，他是否有时去看他母亲呢？他认他母亲那丈夫作父亲吗？他给他母亲钱还是那边给他钱？人们实在都很想问，但似乎也没有哪个人有勇气、好意思当面向大塔提出这类问题。

大塔一个人生活以后，我常跑到他那儿去玩。别看他是座大塔，他收拾起屋子来就跟绣花似的。他的屋子样样东西都安放得稳稳当当，拾掇得干干净净。我们俩都爱看小说，有时候我们俩就聊聊小说。他只爱看当代人写当代生活的小说，他喜欢蒋子龙。我曾经试着跟他聊古典小说，试着把外国小说推荐给他看，可他就连《水浒传》和《巴黎圣母院》都没有很高的兴趣。

有一天下午我又跑到他家去玩，觉得他跟往常有点不一样。他刚理了发这不新鲜，新鲜的是他那头发上抹了过多的头油，本来挺浓挺黑的头发，倒凝得似乎又薄又假。而且，他也不知从哪儿买了件洋里洋气的夹克，显然买小了，穿在身上绷得紧紧的，他一动作我就觉得那些接缝非绽开不行。裤子倒是往常的裤子，一双新买的"盖儿鞋"瞧上去还算顺眼。

他一见了我就开口向我借一本书："嘿，小力本儿，你有《简·爱》这本书吗？"

我叫徐力，他不爱管我叫"小力"，因为那听着太像姑娘，所以他管我叫"小力本儿"，"小力本儿"（发音时要把"本儿"连起来快读）是北京土语里的一种惯常绰号，有"伶俐活泼"一类的含意，所以我并不反对他这种称谓。一听大塔要借《简·爱》，我挺高兴：他终于也要读外国小说了。我立即兴致勃勃地告诉他："我不早跟你说过这本书？我手头没有，可这书找起来极容易——书店里也好买，有好几种译本哩！……"

他不容我给他详细介绍，只是急着问我："那里头的男主角叫什么名儿？"

我说："叫罗特斯契尔，是条硬汉子，他……"

他在我面前把双臂往胸前一抱，截断我的话茬，突如其来地又问："你说我跟他比，有他帅吗？"

这可把我难住了。我打量着身前这几乎比我高出一头的大塔，心里嘀咕着："是怎么说的呢？古怪……"

其实一点也不古怪。大塔那天没兴致跟我闲聊，他把我借他《简·爱》的事落实以后，便三下五除二地把我给支走了。我毕竟也已经十六七岁，所以，当我听见胡同里的人们议论纷纷，说大塔搞上了对象，不久就可能结婚时，心里头一点不感到惊讶。

但人们对大塔的议论渐渐难听起来。这也难怪。他似乎不止搞过一个对象，我就亲眼见过两个，一个曾经挂在他强壮的臂弯上，一边吃着蛋卷冰激凌，一边跟他往公园走去；另一个打扮得更像只花蝴蝶，打着一把洋红色的尼龙伞，紧挨着他走进一家高级餐厅。不管是那吃蛋卷冰激凌的也好，打洋红色尼龙伞的也好，谁嫁给大塔，我都为大塔高兴，因为算一算我也明白，大塔都快三十岁了，他不能总是一个人过呀！但大塔久久地没有结婚。

我过了很久才去大塔家要回那本《简·爱》。他说他看了，他说他自然比不了罗特斯契尔，因为"姓罗的"那么有钱，还有那么大一座楼，他有什么呢？他只有力气，能"扛大个儿"，如此而已。而且他说他也没碰上一个哪怕稍微像简·爱一点的姑娘，尽管这些姑娘都以读过《简·爱》这本书而自豪。

我感到我可以趁这机会问问他搞对象的事，但我终于没好意思问。我又感到我应该在这时候跟他说一点让他心里好受的话，可我终于也没好意思说。

我只是告诉他，我参加过高考了，自我感觉不错，达到分数线很有把握，只是不知能不能考上第一志愿。

他斜倚在床上，光是抽烟，半晌没说什么。后来他一手胡弄着头发——那头发又恢复了原样，没有了一点头油——仿佛是挺费劲地从心里把话掏出来说："小力本儿，你这一茬儿的，什么好事都赶上啦！"

我心里很难过。大塔那一茬的，又特别是大塔，净赶上糟心的事儿，这是怎么说的？

我胡思乱想了一阵，便问他："大塔哥，你当初干吗不学开车呢？"他们运输公司，三个人包一辆卡车：一个司机，两个"扛大个儿"的；好多"扛大个儿"的后来都奔上司机或者转成别的了，像大塔这样的十来年一直"扛大个儿"的搬运工，实在不多。

"当初我要学，我妈不让。她怕我出事不是？后来我也想学，领导也支持，可别的哥儿们来央告我，让我把机会让出去，我也就让了。反正总得有人'扛大个儿'，我大塔就'去'（扮演的意思）这'总得有'的角儿吧！"

我便夸夸其谈起来。什么国外都时兴集装箱运输呀，什么用机器人取代笨重的体力劳动呀，诸如此类，说了一大通，仿佛这么一说，就能改变大塔的工作处境似的。

大塔听了只是淡淡一笑。他让我跟他杀盘象棋。我心甘情愿地陪他下。我们相持了很久，最后他走错一步棋，输给我了。

后来我得到北京大学的录取通知。我搬到大学去那天，特意去找大塔告别，他的屋门锁着，我没见着他。

我不愿意每个星期日都往家跑。我一个月回家一次。头一次回家就听到了一个令人震惊的消息——大塔因工致残了！事情就发生在我去告别的那天上午，详情不清，总之，大约是为了救别人，硬用胳膊去挡不知为什么突然倒下的吊车，结果右臂当场被压断，人们连人带断臂赶紧送到医院，医院立即进行断臂再植，但手术没有成功。

我听到这个消息以后，立即骑车去医院看望大塔。猛一见大塔我吃了一惊。他躺在床上，被子盖齐胸部，满面红光，正跟邻床的一个老头说笑，那模样离我一路上所想象的真有天渊之别，因为被子挡住了身躯，我简直看不出他有什么变化——难道他真的失去了整整一只右臂吗？

坐在大塔床前，我鼻子发酸，他却若无其事地望着我说："你小子别美！那盘棋我要不是慌了一步，起码跟你闹个和局，说不定还能翻过来将死你！我可不服输！"

我一时懵了。哪盘棋？一定神，才想起来我们上一次见面时下棋来着。唉，我真愿那回没有赢他！

见我嗓子眼噎住了，他就又笑笑说："小力本儿，你小子又看了什么小说？拣那好的跟我说说！"

　　我也没有心思讲小说。我只是跟他讲了讲学校里的事。他听得似乎挺带劲。我始终没问他的胳臂的事，他也没跟我提胳臂的事。

　　回到北大以后，在繁忙的学习间隙，比如从图书馆出来，当我看见未名湖里倒映着天上的星辰时，我就忍不住记挂起大塔来。大塔哥啊，你遭此不幸，今后可怎么生活呢？

　　但大塔哥对待他自己生活中的这个惨变，却不仅比我镇定，甚至还表现出一种令我难以理解的恬淡。

　　半年以后，他出院了。单位里派了一位退休的老师傅，作为"补差工作"，每天来给他做两顿饭；胡同里的大妈们不用居委会动员，都争着来拿他的衣服被褥去拆洗，小学生们则都争着来帮他买东西；他自己呢，每天练习用左手做事，包括练习用左手写字。我在北大就接着过他一封信，那封信并没有什么内容，只是告诉我他那些字都是用左手写的，问我看着像不像样。

　　一年以后，他配上了一只假肢，他让人们不要那么样地照顾他，他在单位里看守仓库。他经常替有家口的人值夜班，这样，他简直就基本上在仓库里住了。他以仓库为家。他胡同里的那个家成天锁着门，据说几场雨过后，门上那锁的锁眼都生锈了。

　　我虽然常记挂着大塔，可有很长时间没见着他。后来有个星期日，我特意跑到他们单位仓库去找他。我还没走拢仓库就瞧见他了，他刚到锅炉房打完开水，左手拎着个热水瓶，背对着我朝仓库里走。我注意看他的右臂，因为裹着衣袖，倒看不出那胳臂是假的，但大塔的整个背影，还是使我产生出一种悲壮的感觉——仿佛面对着苏州虎丘的灵岩塔或者意大利的比萨斜塔——塔体依然结实，塔身却已倾斜，当然，那重力垂线还没有超出底面积范畴，在不稳定的悲剧性气氛中，还有着一种稳定的美感。

　　我跑过去叫住了他，他转过身来，吃惊地望着我。我抢过了他手中的热水瓶，随他往仓库里走，一边同他讲话。他仿佛并不怎么高兴。进到仓库，到了用三合板隔出的那么一块地方——那里有他的床和桌子什么的——我才明白，原来他已有客人。那客人是个花白头发的妇女，见了我显得很不自然，我一开始没认出她来，后来突然恍然大悟——这不是大塔他妈吗？

大塔让我坐，要给我沏茶。我谎称就要去看电影，只不过是在去电影院的半路上顺便来看看他，他也不留我，我就在把他和他母亲弄得很尴尬的情况下，自己也非常之尴尬地离去了。

这之后又过了好久。又是一个星期日，我刚回到我们胡同，就发现那小小的胡同非常之不平静，许多人站在胡同里张望、议论着什么。凡是能出屋的老太太几乎全出来了，成为舆论的天然发布中心。小孩子们则在大人的腰腿间兴高采烈地跑来跑去，仿佛在欢度一个什么节日。我立即获悉了七分令人欣喜三分令人好奇的消息：大塔就要成家了。他又在一月前蔫不叽叽地同一位姑娘去登了记。据说那姑娘是他妈介绍给他的，又据说那姑娘是他妈现在丈夫的远房侄女，是个农村姑娘，不过所在的村子位于通县运河边上，家里很富裕。大塔突然在胡同里宣布了这件事以后，胡同里的人们头一个反应自然是要联合给他送贺礼。据说大塔严辞谢绝了，但他有一个要求：在他把新娘子正式接进门的这一天，希望胡同里看得起他的人都到院门口替他迎一迎——仅仅是迎一迎，具体地说，也就是拍拍巴掌，放放鞭炮，把他俩送进院里便算完事。他不搞宴请，甚至不搞茶话——事先他已经散过了糖果，因此也不再散糖。总之，他一切从简，但又并不打算无声无息，他要求在新娘子下车的那一瞬间，"大家都给捧捧场！"

尽管大塔的这个要求近乎怪诞，但胡同里自愿聚集在那儿等着给他捧场的人却极多，其中不仅有充满一种特殊的使命感的老太太们，不仅有满怀好奇和微妙心理的小年青们，不仅有唯恐天下不乱的小孩子们，就连那经常用"赶明儿让你'扛大个儿'去"威胁孩子的大妈，也站在人群中，尽管她并没有改变她的职业观，但对于大塔这个人，此时此刻她也充溢着一种超职业地位考虑的善意与关怀；我有意统计了一下，在人群中有两位处长，一位经理，一位主治大夫，一位小学校长，一位八级钳工，一位乐团里的小号手，一位文学杂志的编辑，一位梅派的京剧女演员，他们这些人平日是最不好看热闹的，可这天也都站在那儿等待着。人们自由组合地谈论着大塔，不约而同地称颂着他的优点，同情着他所遭遇的种种不幸，发出了许多的感叹……是呀，谁家没让大塔帮着扛过"大个儿"呢？大塔又给谁家添过一点麻烦呢？算来算去大塔现在三十三岁了，他虽闹个残疾，毕竟娶上了媳妇!

突然，胡同口那里先骚动起来，只见一辆出租汽车开了进来，有些小孩跟着车子跑，人们都朝大塔住的那个院子门口汇集，终于，车子停住了，人们像一层又一层的花瓣，把车子当成花心，围得死死的。

车门开了，先是大塔走了出来。他穿着一身崭新的毛料中山服，表情不知为什么有点紧张，他朝周围的人们匆匆地一瞥，我看出那眼神里有一种异样的含意，仿佛在传达某一种最深挚的期望。人们欢喧着，等着新娘子出来。可新娘子没有自己走过来。可想而知，她是害臊。离车最近的人本能地弯下腰，朝车窗里望，但车窗遮着一种暗色的绸窗帘，谁也看不清。

只见大塔运了口气，极为郑重地弯下腰，把他的真臂和假臂一齐伸进了车里，然后，比他当年搬运一件易碎、防潮并且不容倒置的高档物件还要小心地从车里抱出了一个人来，并在众目睽睽之下，极为珍爱地把她搁在了人群中。

很难形容我头一眼看清那新娘子的心情。我的心仿佛被猛地捏了一把。我想在场的所有邻里也都会感受到一种强烈的心理冲击。

那新娘子是一个高度只及大塔腰际的罗锅姑娘。她的后背和前胸都明显地朝外隆起。她仿佛没有了脖子，脑袋活像直接放在了肩膀上。她穿着一身色彩刺目的新衣，样式无法看清，头上系着一条银红底子洒满金菊花图样的头巾。她并不像一般新娘子那样，在这种场合低下头、垂下眼皮，正相反，她还微微扬着头，闪着一双相当大的眼睛，嘴唇抿成一条线，镇定地站在那里，仿佛在等待某种重大许诺的应验。

我听见几个小孩子发出了刺耳的笑声，这笑声显然也被大塔捕捉到了。他嘴角鼻翼不禁有所抽动，但那些发笑的孩子显然立即被身旁的大人严厉地制止了。几秒钟后，突然人们都憬悟地衷心地鼓起掌来，这时鞭炮也点燃了，噼噼啪啪地响成一串。我注意到，大塔转动着身子，先是仍然有点紧张地观察着周围的人们，随后他表情一下子松弛下来，两眼闪出了自豪而幸福的光芒；那新娘子呢，当我注意到她时，只见她已面带满足的微笑，以一种极度自尊的姿态，也以鼓掌来回应大家……不知为什么，看到这情景，我和大家一样，久久不愿停止鼓掌，我只觉得自己的视线在这诚挚而热烈的掌声中模糊了……

岁月匆匆流逝。我的生活不断发生着缤纷多彩的变化。眼下我在巴黎，我是国家派到法国的留学生。大塔呢？据说他抱闺女了，但他的生活似乎还是那么平淡——除了去单位看守仓库，就是回到那小小的胡同那小小的家庭中，过最普通的中国人最普通的日子。

在巴黎，我时时思念着祖国。对我来说，祖国是非常具体的，具体到我们那条小小的胡同，那胡同中间空场上的老槐树，以及胡同里的独臂大塔，还有他的妻子，以及他那还在襁褓中的女儿。

大塔，我想你，真的！

1983 年 10 月 13 日
草成于北京劲松中街

作为我的朋友

当我发表了处女作以后，我的朋友薛斌兴冲冲地来祝贺我，他进门就说："真了不起！看以后谁还敢小看咱们！"

我爱人烧了一桌的菜，我请他喝酒，他拿起酒瓶查看了一下商标，咂了一下舌头说："这酒不成！你以后该喝头等好酒了！茅台！五粮液！起码也该全兴大曲！"他只斟了半杯，仿佛那半杯专等我给他补足上茅台、五粮液或全兴大曲似的。

不久我又发表了第二篇作品。他很快又来到了我家。不过他并无祝贺之意，而忿忿不平地问我："这回怎么不是头条？怎么搞的？"

我解释说："这回这篇是不如那篇好；再说，人家杂志也不能老把我的登在头条呀！"

"作为你的朋友，我愿意你的作品回回都登在头条！"他激昂地说。

我很感动。家里有了全兴大曲，我请他喝。他斟满一杯尝了一口说："这酒不错。不过，你以后该转着圈喝好酒了，不要老盯着一种喝。像汾酒、西凤、郎酒、董酒、口子酒……都该有，调换着喝！"

我的十来篇小说结集出版了。他来要书，不止要一本。他让我一本接一本地在扉页上写赠词，一个字一个字地告诉我那接收人的名字怎么写，并要我把最后的签名签得帅一点，还要详细开列题赠时间，精确到日并要注明是"傍晚"。我一口气题赠了十来本。他都收入了他的手提包中。末了他问我："怎么不给你印大三十二开的？"

我解释说："我刚进入文坛，能给我出集子就不容易了。大三十二开的待遇，我目前还够不着。"

"作为你的朋友，"他庄重地说，"我可以肯定：你很快能出大三十二开的书，前头有你大幅的照片，并且还附着你的小传。"

我很感激他的祝愿。

不久我被调到作家协会当了专业作家，并且分配到一套住宅。他自然是首先来庆贺的人。

他一进单元门就这边看看那边望望。

"第三间屋子呢？"他问我。

"这就是两间一套的单元。"我告诉他。

"两间一套？你为什么接受这么个两间一套的单元？"他挑起眉毛，惊异地问。

"我们觉得这就满不错了，"我爱人对他说，"想想吧，还有多少人两三代好几口挤在一间小屋里住呢！"

"那倒也是。"他宽宥地说，"暂时住住吧。不过，早晚还得给你换的——你自己要盯紧点。"我一直住在这个单元里，没有换的前景。他每次来了都不禁皱眉。

他提起一个同我年龄相仿的女演员："她就刚搬了家——三间一套，还有一个大门厅，光那门厅就比你这小间还大。"

我顿觉惭愧。

他又提起一个比我年龄还轻的编辑："他也刚搬了家——两间半一套，厕所里是坐桶，比你这套也强。"

我只有羡慕。

我有篇作品获了奖。他很快又出现在我家中。他详细询问了其他获奖者的情况，包括长相和穿着。他兴致盎然，侃侃评议着：某某人的那篇其实很不怎么样，某某人的那篇按理说应当排在前面……末了他鼓励我说："作为你的朋友，我希望你年年得奖！"

但我后来虽然年年有新作发表，却再未得奖。他有一阵不怎么来了。有一天他忽然飘然而至，我很高兴地接待他，问："你怎么好久不来啦？"

他说："怕打搅你啊！看见你不少新作，你一定天天都忙着写吧？"

我说："可不是。除了写，还要下去体验生活、开会……"

他单刀直入地问："你最近怎么不那么红了呢？"

这话有点刺耳。但我冷静一想，也就心平气和。我说："哪能老是我红呢？一来我有我的局限性，二来新近确实出来不少新作者，写出了相当不错的作品，也该轮到他们红了……"

他用一种语重心长的口吻说："作为你的朋友，我希望你一直红下去！"

我心里有点别扭。我要是不能一直红下去呢？

他从沙发上站起来，背着手，在我屋里踱步，一样样打量着我新购置的东西。他走到我新买的收录机前。

"带电脑的吗？"他问。

"不带。"

"你怎么买个不带电脑的呢？"他责备地问。

"电脑选曲意义不大。"我说出我的看法。

"嗯。"他宽赦了这一点。不过，他又偏着头议论着，"你该引出两个音箱，挂在屋角，那样听交响乐才叫来劲呢！"

我说："一时还顾不上。我的稿费毕竟有限啊，时间精力也都不够。"

他不以为然："匹配杂牌音箱也没什么意思。你就不该买这种收录机。你该买成套的组合音响设备。"

我强调说："那我可买不起。"

他微微摇头："怎么买不起？你多写嘛！"他的声调又变得庄重而亲昵起来，"作为你的朋友，我愿意你稿费越来越多，置备的高档用品也越来越棒！"

这以后我有点怕他光临。因为作为他的朋友，我显然总达不到他对我的殷切期望。

我终于出了一本新的集子，是大三十二开的，并且既有我的照片又有我的小传。我寄给了一些亲友，其中也包括他。毕竟他曾给予过我出这种规格的书的祝愿。

他肯定收到我的书了。可是，一个星期，半个月，一个月，我总估计他会到我家来，哪怕是顺路弯过来一下，可他却一直没有来，也没接到他的信——他以往常常给我写信，尽管每封信都短到不足半页。

有一天，我去一位同行家串门。那位同行刚从国外访问回来。他原来似乎没有我红，但近一年来他红得不仅发紫，而且紫到了龙胆紫的地步。我敲门后，发现来开门的竟是薛斌！

"啊，你在这儿！"我不禁这么招呼他。

他只是对我一笑，然后扭过头，极亲昵地招呼我那同行说："有人看你来了！"

同行跑过来欢迎我，要给我们两人介绍，我忙说："不用介绍，我们早就认识。"他也说，"我们是老朋友了！"

借同行在泡茶的机会，我问他："嘿，我给你寄的书，收到了吗？"

没想到他只是问我："怎么不给你出精装本呢？"

我哑然。

他从同行的书架上抽出一册同行新出版的集子，递给我，我接过来一看，是做工很细的精装本。他说："你看看！"就像那本书是他写的一样。

"啊，"我翻了一下，对他说，"这恐怕是为了他出国访问，好拿去送给外国作家，出版社单为他做的——可能顶多只有一百本吧……"

他悠悠地问："你怎么还不出趟国，到外面转转呢？"

我觉得很尴尬，只好喃喃地说："这得由上面决定啊，哪就轮得到我呢？"

他的语气照例庄重而诚恳："作为你的朋友，我愿意你也能出国访问！"

同行把茶沏来了。大家随便聊天。同行谈了些出访中的趣闻。

听了一阵，薛斌问同行："你怎么不去美国访问呢？"

同行去的不是美国。没有派他去美国。美国方面也没有邀请他。这问题实在很难回答。

薛斌不等同行回答他，便严肃地说："应当去美国。应当去。"说着，又扫了我一眼，总结似的说："你们都该去看看。去哪儿也没有去美国开眼！"

但是至少在目前，我和那同行谁也没有去成美国。我非但没有去美国，还出了点麻烦事，一家有影响的杂志发表了一篇批评我近作的文章，文章虽然很讲道理，但那批评却是尖锐而严厉的。

杂志在市面上发行不到三天，薛斌就到我家来了。

"作为你的朋友，"他恳挚地对我说，"我得马上来看看你。"

对他的话，我好久都没有这么感动了。

"你搞清楚了吗？"他眨着眼睛，凑拢我问。

"搞清楚什么？"我一时没有明白。

"背景，"他教导我说，"这文章一定有背景！你得尽快弄清它的背景！"

他这么一谈，我的心不由得乱跳起来。过了一阵，我稍微冷静点了，便对他说："我想并没有什么背景。那文章有的观点我不能同意，可人家还是讲道理的。百家争鸣嘛！"

他叹了口气，望着我，仿佛面对着一个愚昧的人，摇了摇头。

"你还在家里傻待着干什么？"他命令我说，"赶快出去转转，摸一摸背景、来头！"

他走后，我傻待不住，遵嘱去转，费时三天，跑了五处地方，结论是：确实没有什么背景。

他既然对我如此关心，我得赶快让他放心。

我跑去打公用电话。很快打通了，他在那边气咻咻地问我："怎么样？摸清了没有？"

我告诉他："没什么背景。没什么来头。说实在的，我这么个人，批评我用不着非得有背景，有来头。正常的文学批评，没什么。"

他的嘴唇一定几乎贴到了话筒上："作为你的朋友，我不能不给你忠告：你不要书生气十足！你大概还没看见吧……"接着他便告诉我，新发行的外省某杂志最近一期上，又有一篇批评我近作的文章："七千多字，放在评论栏的头条。作为你的朋友，我可不愿意你这么挨批！"

打完电话，我赶紧去邮亭买那份杂志。竟然没有。跑了好几处地方，连市内最大的那家报刊门市部都去了，还是没有买到。急中生智，跑到市图书馆去，总算借到了。坐下来，顾不得擦汗，赶紧看，果然有篇七千字的文章，详尽分析我最近几篇作品的得失，该文指出我"失"在两大方面……的确，是批评为主。

然而，擦干汗水以后，静心一想，这也不像有什么背景、什么来头。说到底我最近的创作确不如刚走红时那么精彩，批评家加以分析批评未尝不是好事。

真想把这个结论及时告诉薛斌，但想到他作为我的朋友，必不能对这个结论满意，便没有鼓起勇气再给他打电话。

几天以后的一个傍晚，他不期而至。其时我和爱人还在吃晚饭。

"真是稀客！"我爱人招呼他说，"一起吃饭吧！"

"你们自己吃吧，"他笑吟吟地说，"我只要杯茶。"

我忙去给他沏茶。

他高声嘱咐："浓一点！"

爱人不禁问："你在哪里吃了好东西来？"

他便告诉我们，是我同行中的一位刚留他吃了素烧鸡。这位同行不是上面讲到的那位，是新近更红的一位，不仅红得发紫，也不仅是龙胆紫，而是紫中透着金光——他的三个作品刚被搬上银幕，两个作品即将搬上舞台，这五个中的两个又将获奖，并且他刚从美国访问回来，又正准备再到法国去访问三周，他同意电视台到他家拍摄他的生活、写作场景，婉辞了广播台打算对他进行的录音报道……

爱人颇不得体地问他："你什么时候认识人家的？"

他轻描淡写地说:"认识他那号人还不容易?其实,他也是银样蜡枪头——说起来,他这么走红,还是让人家批红的哩!我现在算明白了,原来如今是小批小红、大批大红、越批越红啊!"

爱人朝我一努嘴说:"他现在不就让人小批着吗?也没见他小红呀!"

没等我开口,他便问我:"嘿,怎么批你的文章统共才两篇,而且没有什么反响啊?"

我不得不质问他:"你是怎么回事呢?前几天,你还老让我去摸背景、来头,怕我挨批出事;今天,你怎么倒嫌我让人批得不够多不够重了?"

他呷了一口浓茶,坦然地说:"作为你的朋友,我总愿意你不但平安无事,而且声名大增嘛!你要么不挨批,既挨批,就该热闹一番,更引人注目,作为你的朋友,我现在就是这么个想法!"

可是,很遗憾,尽管我认真地深入生活、不懈地读书学习、辛勤地撰写新作,却至今既没有被捧得入云也没有被批得轰动。

作为我的朋友,薛斌好长时间没来我家了。

1983 年

封面女郎

一个崇拜她的姑娘，一大早就在电影制片厂门口徘徊。那姑娘手里，卷握着一本最新出版的电影杂志。那杂志的封面上，是她的头像。

她从电影厂招待所的小楼里走出来，仰首朝空中望去。看不到太阳，可漫天弥散着薄薄的日光。那么说，今天又等不来雪了。导演的决心是对的——那15个雪景镜头非有真雪不拍。什么用化肥铺敷、用"米菠萝"撒落之类的"特技"，他一律不甘采用。

她顺着柏树篱镶边的甬路，朝摄制组办公室所在的八号楼走去。她去问一声，如果今天没雪不拍戏，还有没有别的安排。如果没什么要紧的事儿，她想外出一趟……

迎面来了罗莞尔。罗莞尔一发现了她，便本能地挺直了腰身，绷紧了面孔，呈现出一副凛然不可侵犯的神情。

她心里飘过一丝不快。罗莞尔是电影学院表演系培养出来的职业电影演员。报考那一年，在那一考区，三千多名考生中只取了罗莞尔一名。然而罗莞尔自分配到这个制片厂的演员剧团以后，近20年里，只扮演过三回有名有姓的角色。这回罗莞尔也参加了她主演的这部影片的拍摄，在其中扮演一个时时需要在后景中出现、统共只有一句对白的少妇。说实在的，这部戏的演员很多，最初她确实没有特别注意到罗莞尔的存在。她尽量同所有配戏的同志，包括摄制组那些给照明师傅打下手的临时工，都报以谦和的微笑，并尽量同他们打成一片——比如在外景地等阳光时，同他们打扑克捉黑桃 A。可她还是得罪了罗莞尔。事情是这样的：有一天她同大家一齐收拾拍摄现场时，她看见窗台上搁着个蜂蜜罐改成的茶杯，外面套着赤黑两色玻璃丝编的套子，完完全全是出于善意，她举起那茶杯来，大声地问："哪一位的茶杯？"突然她发现罗莞尔就在她身边，满脸气恼地一把抢过那茶杯，僵声硬气地跟她说："我的杯子。我这杯子从来不装茶！"后来她很后悔，她为什么就没能早些注意到，那是罗莞尔每次必带的杯子，并且此人确实从不喝茶，而只是沏菊花水喝呢？

主角真不好当啊，尤其是在你成名之后，又尤其是那些发行量惊人的杂志，未经许可就把您认为是拍得最糟的相片，套上骇人眼目的颜色，给你登在封面上之后……

"莞尔，你好！"她努力让心中漾出的那一丝不快飘远，调动起最大限度的尊重、谦逊、温情，招呼着对方。

罗莞尔在她五步远的地方煞住了脚。她主动快跑两步，一直逼到罗莞尔面前，并且毫不犹豫地把两只手搭到罗莞尔肩上，两只眼睛坦然地、充溢着友好之情地望着对方。

刹那间，罗莞尔被她那清潭般坦诚的目光软化了。不过罗莞尔心中翻涌着的酸楚的波涛并没有平息。那些波涛不息地重复着一系列互相关联的、似乎永远不可能获得明确答案的问题：为什么"科班出身"的电影演员这么难出头，而那些原来不过是演话剧的、跳舞的、练武术的……乃至于普普通通的工人、售货员、中学生……反倒一个跟一个地成了明星？导演们都传染上了一种什么毛病？厂演员剧团闲着一大群职业演员他们不用，偏要跑遍全国各个角落去找主演；找来的人甚至说不好普通话，可他们宁愿到译制片厂请人来配音，也硬要把这样的人推到镜头的最前面……那些观众们又是怎么回事？明明是因为没经过系统的专业训练，所以表演幼稚荒唐、纰漏百出，而他们却浑然不觉，反倒给那样的演员写来那么多狂热的信件……奇怪的是电影学院仍在心平气和地办下去。当然，现在很有几个表演系的师弟师妹还没迈出校门就走红了，可另外那些为数更多的师弟师妹们呢？他们也是从潮水般的考生里千筛万选挑出来的吧？当他们正正经经学满四年、手里握着一张硬铮铮的毕业文凭时，他们应当懂得，在许多导演的眼里，他们的价值未必比一个小品都没做过一本《爱森斯坦文集》之类的书都没翻过的人高！……

罗莞尔不能冷静地对待面前这位红得发紫的封面女郎。面对着她，罗莞尔不由得在心里累计着她的消极因素：她说起来算初中毕业的文化程度，可 1966 年她刚上小学三年级时学校就乱了套，你说她能有多少文化修养？她是 1974 年被电影厂挑来演"同'走资派'斗争"的大毒草的，尽管她演的不是一、二号角色，可她的这段"从艺史"光荣吗？有时电影杂志介绍她的时候，竟然只字不提她这一段，倒好像她一走上银幕就干干净净、光光彩彩似的！记得她拍那部后来让她得以出名的影片过程中，因为她一开始总不能如导演的意，导演差一点中途"换马"，是直到影片公演、评论家们一哄而上之后，导演才逢人便夸她的"天才"的……凡此种种，别人或许不清楚，罗莞尔却是件件桩桩都心中有数——面对着她，罗莞尔只觉得有一口气被重重地提了起来，却很难再把它咽回去。

她呢？面对着罗莞尔，不知怎么搞的，她眼里突然涌上来一层泪花。她尽量把自己的上浮和罗莞尔的下沉都往偶然性上想。无论如何，就她自己而言，她是绝不愿把自己的成功走红建筑在别人的湮灭无闻上的。她脑际飘过了最近几天中的许多极细微的场景，那都明白无误地显示着罗莞尔对她的敌意。在拍完一个镜头之后的小憩中，在食堂里和大轿车上，她总会在兴高采烈之中，突然看到罗莞尔的一张冷脸、一对白眼仁、一个挂在嘴角的冷笑……这都还不算什么，最让她寒心的，是故意穿透她的身体看远方景色的那么一种漠然的神情……这种无声无息的尖刺，实在已经开始干扰她的创作情绪了……面对着罗莞尔，她觉得有一团什么东西鲠在喉咙里，已经到了不吐出来就不行的地步。

"莞尔姐！"她直截了当地说，"咱们俩干吗老别别扭扭的呢？咱俩就不能做朋友吗？"

人与人之间要想达到相互理解，往往要经历很长时间的相互折磨；人与人之间要想达到相互谅解，却往往只需一句诚挚的话、一霎温情的眼波……

　　罗莞尔心中的壁垒顿时坍塌了一半，嘴角现出一个浅浅的，然而绝非做作的微笑，用一种开玩笑的口吻说："我怎么敢跟大明星闹别扭哟，我倒真想高攀你这么个朋友哩，可就算你满心满意看得起我，要跟我交朋友，你可哪来这么多的时间呢？"

　　她全然不觉得这些话里也带着刺儿，她认为罗莞尔说的是事实——她的时间真不够用！这个戏还没拍完，已经有两个电影导演外加一个电视台的导演给她送来了本子，争着要她去主演他们的片子；《电影艺术》约她写的那篇塑造人物的心得稿还没写完，而一个在体育馆举行的晚会（是为宣传植树造林还是为宣传计划生育，她弄不清）还等着她去朗诵，此外光这个月之内就还有两个茶话会和三种座谈会有待出席……更何况她除了是一个明星，也还是一个普通的活人，她有若干琐屑、平庸的私事还得料理——她忽然觉得罗莞尔其实是很可以引为知己的，人家起码知道对于她来说时间有多么宝贵！她看见罗莞尔膊弯里抱着一叠文学书籍，浮面的一本是黄宗英的集子《星》，不由得诚心诚意地说："你的修养不知比我高到哪儿去了！莞尔姐，我抽空去你家看你，你给我辅导辅导……吧！"她原本想说"辅导辅导文学"，可绝顶聪明的她，脑际忽然飘过罗莞尔僵硬的声音："是呀，我表演不行，只能辅导你文学！"便及时收住了"辅导辅导"后的下文……

　　要搁在以前，罗莞尔一定不能容忍她那探究自己手中图书的目光——她是不是已经看破，我罗莞尔对作为演员的前途已经绝望，因而暗暗地下定了息影握笔、另辟天地的决心？——可是此刻罗莞尔却接过了她的话茬，并非单纯应酬地说："我哪配辅导你呀！不过，你要真能驾临寒舍，那可是蓬荜生辉了！"……

　　十字街头的邮亭中，以她的头像作封面的杂志挂在最显要的位置。那杂志卖得最快。又有几个人挤在窗口那里抢购那本杂志……

　　她下了公共汽车，站定在人行道上，把一直掩住半张脸的银灰色拉毛围巾掀开，嘘出一口气来。

　　自从她成为明星以后，她渐渐喜欢起冬天来了。那原因非常简单：冬天的衣装，特别是自然而然可以用来遮掩住"庐山真面目"的围巾，最能减少以至杜绝影迷们在公共场所对她的纠缠。刚才她走出电影制片厂大门时，不就险些被一个双眼里闪着渴求光芒的姑娘截住吗？那姑娘梳着她在那部"成名作"里饰演的女主角的发型（为了显示这一有象征意义的发型，那姑娘甚至不把围巾围上去）。手里拿着一本显然是印有她头像的新杂志，正激动地在传达室门口质问值班员，大概是质问为什么不许进去找人。她一见那情景，就赶忙拿围巾掩住半张脸，加快脚步溜出了大门。她　眼就判断出那姑娘并非一般的影迷，或者是来求她引荐，希图能一夜之间跃上银幕，登上封面的；或者是立志要考取电影学院，期望找到她，让她辅导做小品和朗诵的……这些如花似玉的姑娘们哪里知道，这个世界提供给人们在银幕上展现大特写和成为封面女郎的机会，比沦为大城市中的车祸牺牲者的或然率还要低！即便经过她的热心辅导，终于以千分之几的概率被电影学院所录取；谁又能担保一定可以避免掉罗莞尔那样的命运呢？

　　她庆幸自己不仅避免了那位姑娘的纠缠，而且在公共汽车上也没有被售票员和乘客们认出。现在呼吸着冬阳下潮湿清凉的空气，她深深地体会到作为一个最普通的人的自由感。因为出名而被人们所熟识，会失掉多么多的生活乐趣啊，你不得不提心吊胆地逛公园、买东西、乘坐公共交通工具……乃至于进入 WC。这种苦恼往往不被一般人所理解，以至很难找到一个倾诉对象……

　　她的心境开朗起来。她沿着人行道往南走去。前面第四条胡同里，有一个小院。小院中住着她的姨母，她叫她六娘——虽然六娘仅是她母亲的远房堂妹，但她自从上小学就住在六娘那里，下乡插队是从那里出发的，回城后直到借到电影厂去拍电影的初期，她也都一直住在那里，直到两年前她成名并转为电影制片厂的正式演员以后，她才搬到了电影厂的招待所里去住——所以，在这个大城市里，那里才算得是她的一个家。不过当她朝六娘家里走去时，她心里并没有想着六娘，她只牵挂着自己那快满三周岁的女儿薇薇——是六娘自告奋勇把薇薇接受下来，加以抚养的。

　　她拐进了一家食品店。尽管六娘一再跟她说："你记着个自个儿是个当妈的就行了，可别乱买东西来！"可她每回跑去看薇薇，总忍不住要买些最后被六娘宣布为多余的东西去。人们都知道她是一个明星，可没有多少人知道她的级别、工资。直到去年，每当要在公开场合露面时，她都还得去找女朋友借像样的衣服穿。她和爱人每月给六娘四十块钱。看六娘那种养法，是不仅白尽义务，还得每月往里填钱。六娘知道她名气大挣得少，所以除了收那份整钱外，不让她再买东西去。可她怎么能空着手去看薇薇呢？

她走近了柜台。糟糕，一时麻痹，围巾滑落到了颈后，柜台里的一老一少两位女售货员即刻同时认出了她，她们毫不掩饰自己的兴奋、好奇和值得自豪的"发现权"，几乎一齐嚷了起来："哟！这不是……吗？！"一个呼着她的本名，另一个叫着最近一部她主演的片子里的角色的名字。

几秒钟里，她就陷入了周围的骚动中。犹如一片掉到溪流中的树叶，她身不由己地顺应着事态的变化——先是对几乎全都聚集到她所在的柜台后面的售货员们报之以微笑，然后同其中三位主动伸出手来的年轻售货员——包括一个受宠若惊的小伙子——热情地握手，随即就有一位同她年龄相仿的妇女和一位大概外地出差路过的中年男子，从围观的顾客中钻到她面前，递过刚买到手的杂志，请她在她那大头像下签名，她毫不犹豫地用人家递过来的笔签了，结果那笔却一时还不回去——因为另有两位顾客情急中掏出记电话号码的小本和汽车月票来请她留名，她也毫不迟疑地签了……紧跟着就是回答一系列问题："您又在拍什么新片子呢？""您是怎么学会骑马的？""您真的会使九节鞭吗？""您在电影里唱歌干吗不用自己的声音呢？"……

好不容易才使周围人们的好奇感稍有减退。热情的售货员问她买什么东西，她该买什么呢？她只感到被剥夺了普通顾客那种从容挑选的自由与乐趣。胡乱买了两听罐头，彬彬有礼地既向售货员们又向顾客们道了谢，她简直是逃跑般走出了商店。一出那玻璃门，她便立即把围巾裹上，这回除了两只眼睛以外把整个头脸全挡住了。

可就凭那一双眼睛，还是有人认出了她。

她听见有人叫她的名字，抬起头来定睛一看，松了一口气——是一位她该称为老师、在电影界颇有地位的女演员。她俩是在一条胡同口上迎面相遇的。

老师虽然年近花甲，看上去倒像只有四十多岁。穿着一身质地考究而式样朴素的衣衫，头上扎了一条蓝底子上有碎白花的丝绸头巾。老师毕竟是过来人，一眼便看出她紧裹着大围巾的用意与苦衷，爽朗地笑了："小鬼头，明星的滋味也不都是甜的，尝到了吧？"

她怀着真诚仰慕的心情叫了老师。她们互相询问了一下"干什么去？"原来老师正要去找一位电影理论家，他们将讨论电影史上的几个问题……

她们站在人行道那仅剩几片枯叶的枫树下，聊了起来。

老师望着她，无限感慨。二三十年前，老师也几次成为"封面女郎"，当时的影迷们，谁不知道老师，谁不喜爱老师呢？然而明星都是流星，成名绝不等于成家，烈火烹油、鲜花着锦，到底只能热闹显赫一时……现在青春已逝，即将息影，清夜扪心自问，尽管主演过那么多部片子，扮演过那么多个角色，哪一部片子能算自己的代表作呢？哪一个角色能够永远在银幕上闪光呢？

不能把原因都推到客观上去，大家所处的客观环境和面临的客观因素都是一样的，然而有些演员有她们的代表作，自己却没有！所饰演过的几十个角色，大都浮光掠影，仅能博当时的观众一哭或一笑。

惨痛的教训，应当无保留地告诉后来人，老师按捺不住，就在那人来人往的街头，向她谆谆告诫："可不能让一时的热闹弄得迷迷糊糊，光图痛快，追求数量，一部接一部地拍戏；可不能什么本子、什么角色都接过来演……报道呀，采访呀，上电视呀，上封面呀，这些事都把它看得虚一点。不要像我这样，回过头去一看，没为中国的电影事业作出什么切实的贡献，没给人民留下几个能反复欣赏回味的艺术形象……唉！你不知道，想到这些我心里头有多么难过！"

她本是打算同老师客气一番，便赶着去看薇薇的。没想到不仅听到了一大串她意料之外的话，还窥到了老师那掩盖在功成名就外衣下的痛苦的灵魂。来不及消化，她只觉得自己的心怦怦怦跳得激烈起来。刚才在那食品店中压抑在心底的自豪感和优越感，更甚蜷缩。事业的路原来竟是如此艰难。不但那等候在电影厂门口的姑娘想变化为罗莞尔是难乎其难的，也不但那罗莞尔想变化为她是难乎其难的，她要想超越面前的老师，超越老师所提到的那些大师和先行者，原来也是难乎其难的！

在一间紧掩着深色窗帘的书房里，一位著名的影评家正在台灯照出的光区中写文章。这位影评家习惯于在冬季的白天拉起窗帘，开着台灯写作。那宽大的书桌上摊放着许多参考材料，其中就有那本杂志——她作为封面女郎，正毫无必要地朝影评家微笑着。影评家吸着一支烟，正在稿纸上疾书。他正论及像她那样的青年演员普遍存在的问题：陷入难以逃避的纷繁活动中，根本忽略了或虽然意识到却没有时间去提高自己的艺术修养……

当她走进六娘所在的那条胡同时，她的神秘感减少了一半。而当她走进六娘所在的那个小院时，她的神秘感便丧失殆尽。这里非但没有人对她大惊小怪地奉迎、围观、尾随，甚至还很有几个同辈人故意别过头去，避免同她打招呼，以示一种微妙的冷淡。远香近臭。见怪不怪。世界上的事情就是这样。尽管半个小时以前，她还为自己不能享受默默无闻的普通人的自然状态而苦恼，但当她进入六娘的那个院子，遭受到只把她当做一个最普通的邻居加以招呼乃至予以冷淡的对待时，她又微微有点不快和怅惘。

六娘的住房在里院。她走拢那里，推开门，吃了一惊。

六娘和薇薇竟然都不在。一个男人本来倚在薇薇的床上歇息，一见她进来便坐了起来。

那是她的丈夫司马丁。

"你怎么在这儿？"她不由得问。

"我怎么不该在这儿？"司马丁不由得反问。

一刹时，双方的心里就结了个瘩疙。

司马丁和她的结合，既有青梅竹马的基础，又经历了海誓山盟的阶段；他在爱她之前没爱过别人，她在爱他之前也没爱过别人——初恋而能发展为热恋，并结成婚姻，该是人世间难得的幸福。正当她因为演过同"走资派"斗争的片子，究竟能不能继续"借调"在电影厂尚难预卜时，他以"工农兵大学生"的身份毕业，分配到了他们共同去插过队的那个省的省城，成为了一个见习技术员。后来，她继续被"借调"着拍了两部戏，都是内容早已过时，观众早已淡忘的戏，戏虽然很快就"圆寂"了，她却从那两部戏里"涅槃"了出来，得到若干导演的青睐。就在那样一种情势下，他们实行了旅行结婚。薇薇出生八个月之后，她便主演了那部未必经得起时间检验的"成名作"——一下子，她的名声出现了畸形膨胀，她的剧照和便装照出现在名种杂志、报纸、挂历、商品广告……乃至于某种铁皮饼干桶上，给她写来的信件像潮水般涌来，简直要淹死她，而且，其中竟有相当数量的信是向她求爱，有的甚至毫不隐讳地宣布：即使她已经有了丈夫，也还要爱她！他们一起翻检着来信，一边哈哈大笑一边把那些愚蠢的求爱信撕碎……

司马丁知道并坚信，她并没有爱上任何一个别的男人。她一如既往地爱着他。然而司马丁内心的痛苦却常常甚于失恋。

"瞧见了吗？他就是……的丈夫！"不止一次，司马丁感觉出人们在指着他的后脊梁，窃窃私议着。人们不过是出于好奇，并无恶意。然而他深深地感到不快。因为她出了名，他就成了"她的丈夫"这样一种附属品了吗？！

"知道吗？……就是他的老婆！"也不止一次，人们这样把他介绍给第三者。这回虽然把他放在了主位上，却同样使他听来刺耳。显然，在这样的介绍者心目中，她又只不过是一件漂亮的装饰品——好比嵌金线的花格领带之类的东西。

他现在已经不再去看她主演的电影。让他难以忍受的并不是她在银幕上同别人恋爱或被别人追求，他害怕听到观众席中发出的各种反应——从哄笑到欷歔。他痛切地感受到她已经不仅不单属于他，并且也并不单属于她自己，她成了某种类似北海仙人承露盘或颐和园铜牛那样的东西——她更多地属于社会，属于观众。

薇薇刚刚出生的时候，他们是多么希望能快一点结束两地分居的生活啊。然而从去年起，她在电影厂的地位稳固以后，尽管厂领导一再表示可以特殊照顾，"即便他的户口一时转不来，宿舍楼一盖好也给你们一套，他可以先借调到厂里来工作，随便干点什么都行嘛……"他却严肃地对她说："去对你们领导讲，我也有自己的事业，有自己的银幕，有自己不愿离开的创作集体，我不是一块木头，一根三角铁，可以随随便便地往你们电影厂的仓库里一撂！"

她理解他。他对她的爱情丝毫没有减退，然而他的自尊心不允许他以依附者的身份调到这里。在不能实现最理想的调动方案以前，他宁愿维持原有的局面。

"而且，这对你也有好处，"有一次她去他所在单位看他，他们俩人独处时，他突然对她说，"你可以从容考虑——究竟还值得不值得做我的老婆……"

她望着他那张罩着火烧云的脸，打断他的话："你喝醉了！"

他确实有点醉，不过他心里似乎比平时更清楚。他躲过她的爱抚，微笑着，镇定地说："不是有那么一些说法吗？要随时随地都得有'共同语言'……还有，爱情的规律就是多变，因此用婚姻固定它是愚蠢的……爱情本身就是道德，就是法律，任何对新的爱情有妨碍的东西，比如家庭、丈夫、孩子、社会舆论、都是不道德的，应当毫不犹豫地加以跨越……"

她不要听这些话，她希望他打她，用他那强壮的手臂，带着他特有的气息，重重地打她……她哭了："让各种各样的这号理论一边待着去吧，它们跟我们有什么关系？！"

……他们紧紧地拥抱在一起。

把她送走以后，他心境空前地好。然而，又一个周末，又一起同"哥儿们"喝酒，他又一次听到了这类的话："她能老跟着你吗？""文艺界有几个是好的？""人家就是比咱们草木人儿开放！"……在"哥儿们"的真诚关怀下，她的忠实可靠竟显得可笑和滑稽，这使他重陷于一种莫名状的苦恼中。

他们之间的书信来往，渐渐稀疏起来。在她来说，是流动性太大，也确实太忙乱，有时出外景，所到的地方离最小的邮电所也极远。她的信既然少了、短了，而且往往好几封信在他等得不耐烦的情况下一齐到来，拆阅以后令他感到雷同，他便也在自尊心的支配下，每给六娘和薇薇写十封才给她写一封，并且也写得绝不超过一页信纸。

这回他出差北京，决定得很仓促。本来他可以先拍个电报给她的，可是他没拍。他也没给六娘拍——按说六娘总是会在家里的，没想他早上来到这里时，却撞了锁。邻居们告诉他——六娘带着薇薇去动物园了，总得下午才能回来。好在他和她都有开六娘门锁的钥匙，他便自己进来了。老实说，当他斜倚在薇薇的床上歇息时，最强烈的欲望便是同她取得联系，看到她——谁想得到呢，当她突然推门进来以后，仅仅因为她急不择言地说了那么一句表示惊讶的话，他的自尊心便陡然高垒成一道防波堤，拒绝着她那感情浪潮的冲击……

对她来说，这个冬日的上午本该是格外可爱的——因为他来了。可是他却有意表现出一种冷漠，仿佛他把同她的会面看得极平常，甚而把她的不期而至看成是一种负担。没说几句话，他突然拿脚就往外走，她高声地问他："你干什么去？"他懒懒地回答："我买烟去！"

他走了。故意放重的咚咚脚步声敲击着她的心，使她痛苦。她呆坐在桌前，望着自己买来的谁都不需要的两听罐头——一听糖水马蹄、一听红烧羊肉。这真奇怪——当她和他处在热恋中时，他们在山盟海誓的过程中，设想过各式各样破坏他们爱情的厄运，结果并没有任何一种厄运降临到他们头上；使他们痛苦的，非但不是厄运，竟是令多少人艳羡不已的幸运——她成了明星。

名，这是多么沉重的一种负担啊！

"敬爱的……同志：看了您新主演的……以后，不禁感到失望"，一位观众正在给她写信，批评她新近的演出不如她在那成名作里的演出成功。那观众认认真真地写着给她的忠告："倘若没有超过前一部片子的把握，您就不应当接受新的角色……务请爱惜您自己的羽毛，不要再使热爱您的观众失望！"

当司马丁抽上第三支烟，而她在厨房里为他们俩临时拼凑一顿尽可能丰盛的午餐时，那横梗在他们胸中的心理障碍，才开始有所消融。

他拿出来两本书:《梅里美小说选》和巴拉兹的《电影美学》,搁到桌上,淡淡地说:"给你买了。"她便知道他仍像过去那样热烈地爱着她。这两本书早已脱销,他一定跑遍了他们那座城市以及他出差去过的地方的所有新华书店,很不容易才搜罗到了这两本她跟他提起过的书。但是当她问:"天哪,你怎么弄到的?"他却偏望着自己吐出的烟圈回答:"拿钱就能买来。"

吃饭的时候,她问他临走以前收没收到她寄去的剧本?他心里一暖。这么说,她也仍像过去那样忠实地爱着他。她把争夺她的导演们塞给她的本子,都寄给他一份。她希望他能帮她拿主意——究竟接受哪一个角色?他心里想着:是要好好给她参谋参谋,可再不能让她上当,受那些蹩脚编导的摆布,败坏她已经取得的名声了。可嘴里却故意说:"寄给我干什么?我自己学外语还嫌时间不够用呢,哪有工夫看那些玩意!"她明知他心里并不是这么一回事,却忍不住放粗声音说:"你不看,接到以后甭开封,再给我寄回来好啦!"……

照例是由他洗碗。在一阵沉默以后,她走到他身后,双手搭到他那紧凑敦实的肩膀上,和解地说:"阿丁,咱俩干吗这么你折磨我我折磨你呢?咱俩该坐下来,把各自那讨人厌的过分的自尊心撇到一边,好好地谈一谈了……今天正好咱俩都没事,六娘和薇薇一时也回不来,你洗完碗咱俩就坐下来谈,好吗?约法三章吧,以后再也别闹气了,好吗?"

洗碗的声音仍在继续,但她从他的后脑勺那儿看出来——她是多么熟悉他后脑勺的表情啊——他动心了。

然而偏在这时,管传呼电话的大爷来叫她。她去接了电话。电影厂办公室的同志直跟她道歉——因为什么什么原因(她没听懂,反正他们总是有原因的),一个本应提前转达给她的通知,耽误到今天上午才想起来要告诉她,可偏她又外出了,他们几经波折,才终于在六娘这里找到了她——简而言之,下午两点钟有一个跟外国电影工作者会见的外事活动,她务必得参加,现在已经一点多了,让她赶紧到院门口等着,一会儿有关部门就来小轿车把她接到会见的地方……

看，名人就是这样——随时都被许多条线牵系着，往往不得不中断正沉浸于其中的某件事情，被动地立即投入到另一件未必有准备的事情中去……

她回去告诉司马丁，她马上得梳洗打扮一下，准备去参加那样一项活动。她发现司马丁那原来由后脑勺表示出的情绪，顿时又消退了回去。她嘱咐司马丁，让他一定在六娘家等着她，她办完事就马上回来，司马丁淡淡地应着，使她的情绪又重陷于波动之中……

一个苦攻微电子技术的女工程师，正用其妹妹看过的旧电影画报当包书纸，包一份新资料。她在那成名作中饰演主角的大幅剧照，正被这位工程师毫不留情地随书势折掀。工程师的妹妹跑过来，惊呼着她的名字，意思是不该把她的形象折成两半。那当姐姐的莫名其妙，问妹妹："她是谁？"

暖气很足。人们把外面的大衣服脱在了存衣处，个个都显得那么漂亮、潇洒。摆满西点小吃的圆桌旁不设坐椅，大家可以举着杯子随意走动交谈。服务员端着大托盘，托盘上是亮闪闪的盛着各色饮料的玻璃杯。这类的招待会她已经参加过多次，头两次她只好意思从托盘里取桔子汁，后来她敢于取啤酒，现在她满不在乎地取了一只斟满葡萄酒的高脚酒杯，笑吟吟地主动向金发碧眼的外国同行敬酒……

她仰起下巴优雅地笑着，通过翻译提出着问题，姿势得体地从圆桌上拈起一根牙签，把牙签下插着的多味小吃送进口中，并且在同对面的人交谈之间，恰到好处地向稍远的中国同行、外国朋友送去一个个注目微笑礼……

然而她心里很乱。她精神并不集中。司马丁现在干什么呢？六娘该带着薇薇从动物园回去了吧？罗莞尔真的能成为她的朋友吗？那位在街上同她邂逅的老师，当年大约也常在这类场合中成为引人注目的角色吧？她难道应当为眼前享受到的这些而满足吗？她也许不要很多年，便会像那老师一样地感到痛苦……最近的观众来信开始有所变化——每十封中至少有二封是提意见的，前天她收到一封很厚的信，历

数她在某部新片中的失误：手势步态和某些用语不符合人物所处的时代，某一个字
应发阳平声却发成了阴平声，点香的动作完全外行……难道剧本本身的缺陷、导演
的败笔，也得由她负责吗？为什么一旦成了明星，观众就对她这般苛刻？……让人
心烦的事还多哩！该不该给那家食品厂写封信呢？他们凭什么未征得她的同意，就
把她的像印到饼干桶上？什么时候来读《梅里美小说选》和巴拉兹的《电影美学》呢？
总是没有时间！而从电影界的领导到批评家，从观众到她自己，都开始尖锐地提出
了这个问题：你的艺术修养究竟怎样？……

　　眼前突然一亮。原来是记者在用闪光灯抓拍镜头。不知什么时候那位留着毛茸
茸的络腮胡子的外国导演，已经直逼到了她的眼前……她听见翻译正把那外国导演
的问题转达给她："尊敬的女士，您是否可以告诉我，您对妇女解放运动有何见解？"

　　妇女解放运动？说实在的，她从来没有想过。但等着她作答的不仅是那位高大
的外国导演，她身边突然围上了许多人，既有外国同行也有本国同行。她依旧自然
地微笑着，举着她那已经存酒不多的酒杯……从她心底翻涌上来一股苦涩的滋味。
既不是崇洋媚外，也不是妄自菲薄。她痛恨自己的缺乏修养——她本身是妇女，演
的又是妇女，她是不该在妇女问题上让人家问住的……

　　然而她毕竟绝顶聪明——她演戏凭的全是这种直觉式的、反应式的、爆发式的
聪明——她把眉毛一扬，十分轻松地回答那位外国导演说："啊，尊敬的先生，在这
个问题上我当然有我的见解，不过我以为还是通过我扮演的角色来表达我的见解更
好一些，而不必把它直截了当地说出来……"

　　所有的人都认为她回答得十分高明。她的聪明伶俐甚至使这个招待会的友好、
欢快气氛达到了一个高潮……

　　在一个丁字路口，广告公司的人正在布置一幅巨大的推销某种化妆品的彩色广
告，那广告上赫然画着一个她，正举着那种化妆品，显露出一个赞赏的笑容……

　　招待会即将结束的时候，制片主任打电话找到了她，告诉她已经开始飘雪，请

她招待会一散就径直回厂，全摄制组将立即开赴郊区的外景地，抢拍雪景。

她心乱如麻。来不及打通传呼电话，向司马丁解释她为什么失约。她同司马丁的相互折磨，会不会因此加剧呢？天气怎么变得这么快？难道来参加招待会的时候，天气已经转阴？怎么她当时浑然不觉？六娘带薇薇去动物园的时候，给她穿够衣服了吗？倘若薇薇因此感冒，可怎么是好？观众们只想着要她创造出动人的银幕形象，谁能想到她还是一个三岁女儿的母亲呢？她还会得到历数她的失误的信吗？倘若司马丁看到这样的信，该是怎样的一种表情呢？他心里或许会在一定程度上为她抱屈，嘴里却一定只说一连串令她不能忍受的刻薄话！他这回愿意到电影厂玩吗？还是只肯同她在六娘家团聚？……天哪，带着这些杂念，她怎能合乎要求地进入角色？她怎能塑造出真正有深度的、可以永驻银幕的艺术形象？

有关单位的小轿车，分秒必争地把她送到了电影厂的八号楼前。摄制组的发电车早已开走，大轿车正在发动。人们欢呼着把她从小车迎进了大车。罗莞尔把她叫过去，让她坐到自己身边。导演命令开车。雪花开始变得又大又稠，导演忍不住甩开嗓门讲起了一个什么笑话，车里爆发出了一阵阵笑声。

她却没有笑。她望着车窗外飞旋的雪花，抿着嘴唇，静静地坐在那里。她在同心里的杂念奋力拼搏。她现在必须把与角色无关的所有事情暂存一边。这需要多么强烈的事业心、责任感、自我牺牲精神、抑制力与排除心理障碍的意志和技巧，恐怕是绝大多数仅仅把她作为封面女郎来欣赏的人们所不了解的……

她终于进入到了一种忘我的境界。毕竟,这片土地和土地上的人民所给予她的名，不是用来供她炫耀和享受的，她必须用辛勤、扎实、细致、丰富、富于创造性的高质量的特殊劳动，来报答和满足这片土地和土地上的人民……

印刷厂里，轮转机在飞快地转动，泻下的胶板纸上，是新的一期电影杂志的封面，一个新的封面女郎，仿佛有满腹的心思，似笑非笑地望着我们这个世界。

1983 年

附录一 刘心武文学活动大事记

1942 年

6 月 4 日生于四川省成都市育婴堂街。

后在重庆度过童年。

父母兄姊均热爱文学艺术，深受家庭熏陶。

1950 年

随父母迁居北京，从此定居北京。

在隆福寺小学上小学，在北京 21 中上初中。

1958 年

在北京 65 中上高中。

给若干报刊投稿，屡被退稿。

8 月，在《读书》杂志发表《谈〈第四十一〉》一文，是投稿第一次成功。

1959 年

在《北京晚报》"五色土"副刊陆续发表一些儿童诗、小小说。

为中央人民广播电台少儿部《小喇叭》（对学龄前儿童广播）编写若干节目；其中快板剧《咕咚》经编辑加工、录制后大受欢迎；"文革"中录音带被销毁；1991 年重新录制播出。

1961 年

毕业于北京师范专科学校,分配到北京 13 中任教。

至"文革"前,在《北京晚报》《中国青年报》《人民日报》《光明日报》《大公报》《北京日报》《体育报》《儿童时代》《大众电影》等报刊上发表了约 70 篇小小说、散文、杂文、评论等文章。

1966—1976 年

"文革"中,因 1964 年曾发表过一篇关于京剧的文章,以"反江青"罪名被冲击。

1974 年后再试写作,曾写一关于"教育革命"的长篇小说,由出版社联系获准脱产修改,但终未达到当时出版要求。

1976 年

写出一个大院里孩子们同坏蛋斗争的中篇小说《睁大你的眼睛》并得以出版(北京人民出版社)。

又按照当时政治要求写出一些短篇小说、散文,有的到次年才收入多人合集中出版。

调到北京人民出版社(后恢复"文革"前社名:北京出版社)文艺编辑室当编辑。

1977 年

11 月,在《人民文学》杂志发表短篇小说《班主任》,产生重大影响——被认为是"伤痕文学"的开山作,也是"新时期文学"的发端;从此成名。

从《班主任》后,写作冲破懵懂,沿着认定的方向跋涉,穿越风云,锲而不舍。

1978 年

参加《十月》杂志(开始以丛书名义出版)创刊工作,在创刊号上发表短篇小说《爱情的位置》,经转载和广播,影响巨大。

在《中国青年》杂志上发表短篇小说《醒来吧,弟弟》,反应亦极强烈。

《班主任》《爱情的位置》《醒来吧,弟弟》均被改编为广播剧,由中央人民广播电台多次广播,《醒来吧,弟弟》被搬上话剧舞台;此年发表的短篇小说《穿米黄色大衣的青年》亦由电台播出。

1979 年

在首届全国优秀短篇小说评奖中《班主任》获第一名。颁奖会上，从茅盾先生手中接过奖状。

参加中国作家协会第三次全国代表大会，被选为中国作家协会理事。

成为中华全国青年联合会常务委员，至 1993 年卸任。

9 月，参加中国作家代表团访问罗马尼亚，此系"文革"后第一个作家出访团。

在《人民文学》杂志发表短篇小说《我爱每一片绿叶》，写作技巧有长足进步。

1980 年

调至北京市文联当专业作家。

《我爱每一片绿叶》获 1979 年全国优秀短篇小说奖。

《看不见的朋友》获 1954—1979 年第二届全国少年儿童文学创作奖。

在《十月》杂志发表中篇小说《如意》，其弘扬人道主义的追求引起争议。

出版《刘心武短篇小说选》(北京出版社)。

1981 年

在《十月》杂志发表中篇小说《立体交叉桥》，引出更大争议，一些评论家认为"调子低沉"是步入了写作上的歧途，另有评论家则认为此作标志着刘心武的小说创作在反映现实、探索人性及艺术工力上均达到了新的水平。

5 月，应日本文艺春秋社邀请访问日本。

1982 年

应导演黄健中之请，改编《如意》；北京电影制片厂拍成彩色艺术片《如意》。

1983 年

11 月，参加中国电影代表团赴法国，在南特"三大洲电影节"上，《如意》在开幕式上放映，获好评；后陆续在法国、西德电视台播出。

1984 年

冬，应邀访问西德，参加"中德大学生会见活动"，并在波恩大学、波鸿大学与威尔兹堡大学介绍中国当代文学。

年底，参加中国作家协会第四次全国代表大会，再次当选为理事。

在《当代》文学双月刊第 5、6 期连载长篇小说《钟鼓楼》。

1985 年

出版长篇小说《钟鼓楼》（人民文学出版社），并获第二届茅盾文学奖。

因《钟鼓楼》获北京市政府嘉奖。

7 月，在《人民文学》杂志发表纪实小说《5·19 长镜头》，反响强烈。

11 月，又在《人民文学》杂志发表纪实小说《公共汽车咏叹调》，引起轰动。

1986 年

年初，应当代文艺出版社邀请访问香港。

6 月，调中国作家协会人民文学杂志社，任常务副主编。

在《收获》杂志设《私人照相簿》专栏，进行图文交融的文本尝试。

散文集《垂柳集》出版，冰心为之作序。

1987 年

1 月，被任命为《人民文学》杂志主编。

2 月，《人民文学》杂志 1、2 期合刊发表马建写的小说《亮出你的舌苔或空空荡荡》违反民族政策，承担责任，停职检查。

9 月，复职。

冬，应邀赴美国访问。参观美洲华侨日报；在哥伦比亚大学、三一学院、哈佛大学、麻省理工学院、康奈尔大学、芝加哥大学、旧金山大学、斯坦福大学、伯克利加州大学、洛杉矶加州大学、圣迭戈加州大学等处演讲，介绍中国当代文学，并参观耶鲁大学；参加爱荷华大学"作家写作中心"的纪念活动；游览华盛顿等地。

1988 年

3 月，应香港《大公报》邀请，赴香港参加五十周年报庆活动；在《大公报》安排的大型报告会上作关于改革开放与文学创作的报告。

5 月，应法国文化部邀请，参加中国作家代表团访问法国，除在巴黎活动外，还访问了西部港口城市圣·拉扎尔。

《私人照相簿》在香港出版（南粤出版社）。

《我可不怕十三岁》获 1980—1985 年全国优秀儿童文学奖。

以上数年中，若干小说、散文还分别获得过《当代》《十月》《小说月报》《小说选刊》《中篇小说选刊》《儿童文学》《北方文学》等杂志，《人民日报》《文汇报》等报纸副刊的奖；拍成电视剧播出的有《没工夫叹息》《熄灭》（电视剧名《火苗》）《今夏流行明黄色》《到远处去发信》《非重点》《公共汽车咏叹调》和八集连续剧《钟鼓楼》；若干作品被英国、美国、西德、苏联、日本、瑞士、瑞典、法国、意大利等国翻译为英、德、俄、日、法、意、瑞典等文字出版；自 1987 年起被世界上有威望的英国欧罗巴出版社《世界名人录》收入词条。

1989 年

春，应香港中文大学翻译中心邀请，与妻子吕晓歌赴香港访问。

1990 年

3 月，以任届期满，免去《人民文学》杂志主编职务。

香港中文大学翻译中心编译的英文小说集《黑墙与其他故事》出版。

秋，以"鱼山"笔名在《钟山》杂志发表中篇小说《曹叔》。

1991 年

出版小说集《一窗灯火》。

除小说外，开始发表大量散文、随笔。

1992 年

长篇小说《风过耳》在内地（中国青年出版社）、香港（勤＋缘出版社）分别出版，反响颇为强烈。

长篇小说《四牌楼》完稿，交上海文艺出版社出版。

《献给命运的紫罗兰——刘心武谈生存智慧》由上海人民出版社出版，受到读者欢迎。

在《收获》杂志发表中篇小说《小墩子》，后由中国电视剧制作中心改编拍摄为电视连续剧。

至该年，在海内外出版的个人专著按不同版本计已达 43 种。

在《红楼梦学刊》1992 年第二辑上发表论文《秦可卿出身未必寒微》，在"红学"界和读者中均引起注意；另有若干《红楼梦》人物论和《红楼边角》专栏文章发表。

冬，应瑞典学院邀请（斯堪的纳维亚航空公司赞助）赴北欧访问；在挪威奥斯陆大学、瑞典斯德哥尔摩大学和隆德大学、丹麦哥本哈根大学和奥胡斯大学的东亚系汉学专业以《九十年代初的中国小说》为题作学术报告；12 月 7 日，参加诺贝尔文学奖有关活动，听 1992 年得主德里克·沃尔科特发表受奖演说。

1993 年

华艺出版社出版《刘心武文集》（1—8 卷）。

出版长篇小说《四牌楼》。

1994 年

1 月，应台湾《中国时报》邀请赴台参加"两岸三地文学研讨会"。

《四牌楼》获上海优秀长篇小说大奖，到沪领奖。

1995 年

出版随笔集《人生非梦总难醒》（上海人民出版社）。

出版小说集《仙人承露盘》（华艺出版社）。

1996 年

出版长篇小说《栖凤楼》（人民文学出版社）。至此，由《钟鼓楼》《四牌楼》《栖凤楼》构成的"三楼"长篇小说系列竣工。

应《南洋商报》邀请赴马来西亚访问并顺访新加坡。

1997 年

应日本文化交流基金会邀请，与妻子吕晓歌访问日本。其长篇小说《钟鼓楼》、儿童文学作品《我是你的朋友》、短篇小说《王府井万花筒》等此前已相继译为日文在日本出版。

1998 年

建筑评论集《我眼中的建筑与环境》由中国建筑工业出版社出版，在建筑界产生影响。

应美国科罗拉多大学邀请，赴美参加金庸作品国际研讨会，在会上提交关于《鹿鼎记》的论文《失父：一种生存困境》。

1999 年

出版纪实性长篇小说《树与林同在》（山东画报出版社）。

出版《红楼三钗之谜》（华艺出版社）。

赴新加坡出席国际环境文学研讨会。

2000 年

应邀访问法国，并应英中协会和伦敦大学邀请，从巴黎赴伦敦讲《红楼梦》。

至此年底在海内外出版的个人专著（不含文集）按不同版本计达 101 种。

2001 年

出版包含建筑评论的随笔集《在忧郁中升华》（文汇出版社）。

在北京电视台录制播出《刘心武谈建筑》系列节目。

2002 年

出版小说集《京漂女》（中国文联出版社），自绘插图。

应澳大利亚雪梨华文写作协会邀请赴澳大利亚访问。

2003 年

以马来西亚《星洲日报》世界华人文学"花踪奖"评委身份赴吉隆坡参加相关活动。

台湾联经出版社出版小说集《人面鱼》。此前台湾已出版过刘心武多种作品，如皇冠出版社出版了《钟鼓楼》，幼狮文化事业公司出版了《四牌楼》《为他人默默许愿》（散文集）。

2004 年

赴法参加巴黎书展活动。书展上展出了译为法文的著作有小说《树与林同在》《护城河边的灰姑娘》《尘与汗》《人面鱼》《如意》与歌剧剧本《老舍之死》。

建筑评论集《材质之美》由中国建材工业出版社出版。

小说集《站冰》出版（人民文学出版社），自绘封面插图。

2005 年

出版集历年研红成果的《红楼望月》（书海出版社）。

应 CCTV-10（中央电视台科学教育频道）《百家讲坛》邀请，录制播出《刘心武揭秘〈红楼梦〉》系列节目23集，反响强烈，引出争议。

《刘心武揭秘〈红楼梦〉》第一、二部相继出版（东方出版社），畅销。

2006 年

应美国华美协会邀请，赴纽约在哥伦比亚大学讲《红楼梦》。

应邀参加香港书展。

出版《刘心武揭秘古本〈红楼梦〉》（人民出版社）。

2007 年

继续应邀到CCTV-10《百家讲坛》录制节目，并出版《刘心武揭秘〈红楼梦〉》第三部、第四部（东方出版社）。

访问俄罗斯。

2008 年

出版随笔集《健康携梦人》（中国海关出版社）。

自 1986 年出版《垂柳集》，至此所出版的散文随笔集已逾 30 种。

2009 年

在《上海文学》杂志开《十二幅画》专栏，每期发表一篇写人物命运的大散文，并配发自己的画作。

4 月，妻子吕晓歌病逝，著长文《那边多美呀！》悼念。

2010 年

再应 CCTV-10《百家讲坛》邀请，录制播出《〈红楼梦〉的真故事》系列节目。至此在《百家讲坛》录制播出关于《红楼梦》的个人系列讲座累计达 61 集。

出版《〈红楼梦〉的真故事》（凤凰联动·江苏人民出版社），在争议声中畅销。

4 月，应台湾新地文学社邀请赴台参加 "21 世纪世界华文文学高峰会议"。

出版《命中相遇——刘心武话里有画》（上海文艺出版社）。

加快《刘心武续〈红楼梦〉》的写作，次年完成推出。

至本年底，在海内外出版的个人专著，文集不算在内，重印亦不算，按不同版本计达 182 种（按不同书名计则为 141 种）。

年底，筹备编辑《刘心武文存》。

附录二 刘心武著作书目

　　只包括在中国大陆、台湾、香港和海外出版的书（同一著作每种版本单列）；不包括散发于报刊尚未出书的篇目，亦不包括多人合集中的篇目。第一个数字表示不同版本的排序；[　]中的数字表示剔除同一书名的版本后的排序；注意：文集8卷不参加排序。

1976 年

1.[1]《睁大你的眼睛》[儿童文学·中篇小说]

北京人民出版社 1976 年 1 月第一版

1978 年

2.[2]《母校留念》[儿童文学·小说集]

中国少年儿童出版社 1978 年 7 月第一版

1979 年

3.[3]《小猴吃瓜果》[低幼读物·画册]

少年儿童出版社 1979 年 4 月第一版

1980 年 6 月第二次印刷

4.[4]《班主任》[短篇小说集]

中国青年出版社 1979 年 6 月第一版

1980 年

5.[5]《我是你的朋友》[儿童文学·中篇小说]

北京出版社 1980 年 7 月第一版

6.[6]《绿叶与黄金》[中短篇小说集]

广东人民出版社 1980 年 8 月第一版

7.[7]《刘心武短篇小说集》

北京出版社 1980 年 9 月第一版

1981 年

8.《这里有黄金》[中短篇小说集]

广东人民出版社 1981 年 4 月第二次印刷

有平装、软精装两种

9.[8]《大眼猫》[中短篇小说集]

浙江人民出版社 1981 年 8 月第一版

1982 年

10.[9]《如意》[中篇小说集]

北京出版社 1982 年 5 月第一版

1983 年

11.[10]《中国现代作家选（Ⅲ）刘心武〈我爱每一片绿叶〉〈深谷小溪默默流〉》

[日本] 东方书店 1983 年第一版

12.[11]《同文学青年对话》

文化艺术出版社 1983 年 10 月第一版

1984 年

13.[12]《到远处去发信》[中短篇小说集]

四川人民出版社 1984 年 4 月第一版

有平装、软精装两种

14.[13]《如意》[电影文学剧本]（与戴宗安联合署名）

中国电影出版社 1984 年 6 月第一版

1985 年

15.[14]《嘉陵江流进血管》[中篇小说集]

陕西人民出版社 1985 年 2 月第一版

16.[15]《日程紧迫》[中短篇小说集]

群众出版社 1985 年 5 月第一版

17.[16]《我可不怕十三岁》[儿童文学集]

新世纪出版社 1985 年 8 月第一版

18.[17]《钟鼓楼》[长篇小说]

人民文学出版社 1985 年 11 月第一版

有平装、软精装两种

1986 年 5 月第二次印刷

1986 年

19.[18]《公共汽车咏叹调》[纪实小说]

湖南文艺出版社 1986 年 1 月第一版

20.[19]《都会咏叹调》[小说集]

作家出版社 1986 年 3 月第一版

21.[20]《垂柳集》[散文集]

陕西人民出版社 1986 年 4 月第一版

22.[21]《立体交叉桥》[中短篇小说集]

人民文学出版社 1986 年 6 月第一版

有平装、软精装两种

23.[22]《巴黎郁金香》[访法散文集]

群众出版社 1986 年 11 月第一版

24.[23]《木变石戒指》[中短篇小说集]

青海人民出版社 1986 年 12 月第一版

1987 年

25. *Little Monkey Triesto Eat Fruit* [科学童话・英文]

　　　　　　　　　　　　　　海豚出版社 1987 年第一版

　　　　　　　　　　　　　　有平装、精装两种

26.[24]《斜坡文谈》[文学理论]

　　　　　　　　　　　　上海文艺出版社 1987 年 4 月第一版

27.[25]《王府井万花筒》[中篇小说集]

　　　　　　　　　　　　湖南文艺出版社 1987 年 9 月第一版

　　　　　　　　　　　　　　有平装、精装两种

28.[26]《5・19 长镜头》[小说自选集]

　　　　　　　　　　　　四川文艺出版社 1987 年 11 月第一版

29.げくけきの友たちだ [《我是你的朋友》日译本]

　　　　　　　　　　　[日本] 福武书店 1987 年 12 月第一版

　　　　　　　　　　　　　　1989 年 3 月第二版

　　　　　　　　　　　　　　1991 年 2 月第三版

1988 年

30.[27]《她有一头披肩发》[中短篇小说集]

　　　　　　　　　　　　台湾林白出版社 1988 年 4 月第一版

31.《钟鼓楼》[长篇小说]

　　　　　　　　　　　香港天地图书有限公司 1988 年第一版

　　　　　　　　　　　　　　1993 年第二版

32.[28]《私人照相簿》[纪实文学]

　　　　　　　　　　　　香港南粤出版社 1988 年 11 月第一版

33.[29]《刘心武代表作》

　　　　　　　　　　　　黄河文艺出版社 1988 年 12 月第一版

1989 年

34.《小猴吃瓜果》[科学童话]

　　　　　　　　　　　　　开明出版社、海豚出版社 1989 年 3 月第一版

35.《钟鼓楼》[长篇小说]

　　　　　　　　　　　　　　　　台湾皇冠出版社 1989 年 4 月第一版

36.[30]《一片绿叶对你说》[文艺随笔集]

　　　　　　　　　　　　　　　河北教育出版社 1989 年 12 月第一版

1990 年

37.[31]*BLACK WALLS AND OTHER STORIES* [小说集·英译本]

　　　　　　　　　　　　香港中文大学翻译中心出版社 1990 年第一版

38.[32]《王府井万花镜》[小说集·日译本]

　　　　　　　　　　　　　　[日本] 德间书店 1990 年 9 月第一版

1991 年

39.《母校留念》[小说]

　　　　　　　　　　　　　[日本] 骏河台出版社 1991 年 4 月第一版

40.[33]《一窗灯火》[中短篇小说集]

　　　　　　　　　　　　　　　华艺出版社 1991 年 10 月第一版

　　　　　　　　　　　　　　　　　　　1993 年第二次印刷

1992 年

41.[34]《列奥纳多·达·芬奇》[传记]

　　　　　　　　　　　　　江苏教育出版社 1992 年 5 月第一版

42.[35]《有家可归》[散文随笔集]

　　　　　　　　　　　　　广东旅游出版社 1992 年 5 月第一版

43.[36]《风过耳》[长篇小说]

　　　　　　　　　　　　　中国青年出版社 1992 年 6 月第一版

1992 年 12 月第二次印刷

1993 年 3 月第三次印刷

1995 年 8 月第五次印刷

1996 年 3 月第六次印刷

44.《风过耳》[长篇小说]

香港勤 + 缘出版社 1992 年 6 月第一版

45.[37]《献给命运的紫罗兰——刘心武谈生存智慧》

上海人民出版社 1992 年 6 月第一版

1992 年 11 月第二次印刷

1995 年第三次印刷

1996 年 12 月第五次印刷

46.《刘心武代表作》

河南人民出版社 1992 年 6 月第二次印刷 · 精装本

47.[38]《蓝夜叉》[中篇小说集]

香港勤 + 缘出版社 1992 年 9 月第一版

1993 年

48.《北京下町物语》[长篇小说 ·《钟鼓楼》日译本]

[日本] 东京恒文社 1993 年 2 月第一版

1994 年第二版

49.[39]《为你自己高兴》[随笔集]

内蒙古人民出版社 1993 年 3 月第一版

50.[40]《杀星》[小说集]

香港勤 + 缘出版社 1993 年 6 月第一版

51.《我是你的朋友》[儿童文学 · 中篇小说 · 增订本]

希望出版社 1993 年 6 月第一版

52.[41]《四牌楼》[长篇小说]

上海文艺出版社 1993 年 6 月第一版

1994 年 4 月第二次印刷

1996 年 11 月第三次印刷

53.[42]《我是怎样的一个瓶子》[随笔集]

成都出版社 1993 年 9 月第一版

54.[43]《沉默交流》[随笔集]

中国华侨出版社 1993 年 11 月第一版

55.[44]《富心有术》[随笔集]

群众出版社 1993 年 12 月第一版

1995 年第二次印刷

56.[45]《中国当代名人随笔·刘心武卷》

陕西人民出版社 1993 年 12 月第一版

☆《刘心武文集》[1—8 卷]

华艺出版社 1993 年 12 月第一版

☆《刘心武文集·〈钟鼓楼〉〈风过耳〉》(简装本)

☆《刘心武文集·〈四牌楼〉〈无尽的长廊〉》(简装本)

华艺出版社 1997 年 5 月第一版

1994 年

57.[46]《仰望苍天》[随笔集]

知识出版社 1994 年 1 月第一版

1995 年第二次印刷

东方出版中心 1996 年 7 月第三次印刷

58.[47]《男扮女妆与女扮男妆》[随笔集]

中原农民出版社 1994 年 2 月第一版

59.[48]《相对一笑》[小小说集]

中共中央党校出版社 1994 年 2 月第一版

60.[49]《秦可卿之死》[专著]

华艺出版社 1994 年 5 月第一版

61.《四牌楼》[长篇小说]

台湾幼狮文化事业公司 1994 年 8 月第一版

62.[50]《为他人默默许愿》[散文集]

台湾幼狮文化事业公司 1994 年 10 月第一版

63.[51]《中国小说名家新作丛书·刘心武卷》

海峡文艺出版社 1994 年 11 月第一版

64.[52]《红楼梦（缩写本）》

接力出版社 1994 年 12 月第一版

1995 年第二次印刷

1997 年 9 月第三次印刷

1995 年

65.[53]《人生非梦总难醒》[名人日记·随笔集]

上海人民出版社 1995 年 1 月第一版

1995 年 3 月第二次印刷

66.[54]《仙人承露盘》[中短篇小说集]

华艺出版社 1995 年 3 月第一版

67.[55]《女性与城市》[杂文集]

中国城市出版社 1995 年 6 月第一版

68.《我是你的朋友》[增订版·"小学生成才书架"系列之一]

希望出版社 1995 年 10 月第一版

69.《在胡同里转悠》[随笔集]

陕西人民出版社 1995 年 11 月第二次印刷

70.[56]《刘心武海外游记》

华文出版社 1995 年 12 月第一版

1996 年

71.[57]《刘心武小说精选》

太白文艺出版社 1996 年 2 月第一版

72.[58]《开发心大陆》[随笔集]

吉林人民出版社 1996 年 3 月第一版

1997 年 3 月第二次印刷

73.[59]《你哼的什么歌》[散文集]

湖南文艺出版社 1996 年 6 月第一版

74.[60]《刘心武张颐武对话录——"后世纪"的文化了望》

漓江出版社 1996 年 7 月第一版

75.[61]《边缘有光》[随笔集]

汉语大辞典出版社 1996 年 8 月第一版

76.[62]《刘心武怪诞小说自选集》

漓江出版社 1996 年 8 月第一版

有平装、精装两种

77.[63]《我是刘心武》

团结出版社 1996 年 9 月第一版

78.[64]《刘心武》[中国当代作家选集丛书]

人民文学出版社 1996 年 10 月第一版

79.[65]《刘心武杂文自选集》

百花文艺出版社 1996 年 11 月第一版

80.《秦可卿之死》[修订本]

华艺出版社 1996 年 11 月第二版

81.[66]《栖凤楼》[长篇小说]

> 人民文学出版社 1996 年 12 月第一版
>
> 1998 年 3 月第二次印刷

1997 年

82.[67]《封神演义（缩写本）》

> 接力出版社 1997 年 1 月第一版
>
> 1997 年 9 月第二次印刷

83.[68]《胡同串子》[中短篇小说集]

> 北京燕山出版社 1997 年 8 月第一版

84.《私人照相簿》

> 上海远东出版社 1997 年 9 月第一版
>
> 1998 年 2 月第二次印刷
>
> 2000 年换封面版权页称 2000 年 6 月第二次印刷

85.[69]《中国儿童文学名家作品精选丛书·刘心武作品精选》

> 河北少年儿童出版社 1997 年 8 月第一版

86.[70]《把嘴张圆》[随笔集]

> 上海远东出版社 1997 年 12 月第一版

1998 年

87.[71]《我眼中的建筑与环境》[建筑评论随笔集]

> 中国建筑工业出版 1998 年 5 月第一版
>
> 1999 年 5 月第二次印刷
>
> 2000 年 6 月第三次印刷
>
> 2001 年 6 月第四次印刷

88.《钟鼓楼》[茅盾文学奖获奖书系]

> 人民文学出版社 1998 年 3 月第一次印刷
>
> 1998 年 7 月第二次印刷

1998 年 8 月第三次印刷

1999 年 3 月第四次印刷

2000 年 1 月第五次印刷

2001 年 1 月第六次印刷

2001 年 8 月第七次印刷

2002 年 8 月第八次印刷

2003 年 1 月第九次印刷

1999 年

89.[72]《树与林同在》[非虚构长篇小说]

山东画报出版社 1999 年 3 月第一版

2006 年 7 月第二次印刷

90.[73]《八十六颗星星》(*The Eighty-Six Stars*)[儿童文学小说·汉英对照]

希望出版社 1999 年 6 月第一版

91.[74]《红楼三钗之谜》[刘心武红学探佚精品]

华艺出版社 1999 年 9 月第一版

92.[75]《蓝玫瑰》[中短篇小说集]

中国华侨出版社 1999 年 10 月第一版

93.[76]《过隧道的心情》[随笔集]

华东师范大学出版社 1999 年 12 月第一版

2000 年

94.[77]《一切都还来得及》[随笔集]

中国青年出版社 2000 年 1 月第一版

95.[78]《善的教育》[儿童文学]

辽宁少年儿童出版社 2000 年 2 月第一版

96.[79] Le Talisman（version bilingue)[《如意》中、法文对照版]

Librarie You Feng 2000 年 4 月第一版

97.[80]《作家刘心武〈班主任〉手迹》

线装书局 2000 年 5 月第一版

98.[81]《楼前白玉兰》[小小说集]

中国广播电视出版社 2000 年 7 月第一版

99.[82]《刘心武侃北京》

上海文艺出版社 2000 年 10 月第一版

100.[83]《我爱吃苦瓜》[茅盾文学奖获奖作家散文精品]

广州出版社 2000 年 10 月第一版

2002 年 10 月第二次印刷

101.[84]《了解高行健》

香港开益出版社 2000 年 12 月第一版

2001 年

102.[85]《亲近苍莽》

中国旅游出版社 2001 年 1 月第一版

103.[86]《在忧郁中升华》

文汇出版社 2001 年 2 月第一版

《刘心武谈建筑——在忧郁中升华》2007 年 8 月第二次印刷

104.[87]《人在风中》

作家出版社 2001 年 8 月第一版

105.《风过耳》

时代文艺出版社 2001 年 10 月第一版

有平装、精装两种

2002 年

106.[88]《京漂女》（自绘插图）

中国文联出版社 2002 年 1 月第一版

107.[89]《深夜月当花》

中国工人出版社 2002 年 1 月第一版

108.[90]《春梦随云散》

人民文学出版社 2002 年 4 月第一版

109.[91]《藤萝花饼》

台湾二鱼文化事业有限公司 2002 年 4 月第一版

110.[92]《刘心武自述》

大象出版社 2002 年 10 月第一版

2003 年

111.[93] L'arbre et la forêt [《树与林同在》法译本]

Bleu de Chine 2003 年 1 月第一版

112.[94]《人面鱼》

台湾联经出版事业股份有限公司 2003 年 2 月初版

113.[94] La Cendrillon Du Canal [《护城河边的灰姑娘》法译本]

Bleu de Chine 2003 年 4 月第一版

114.[95]《画梁春尽落香尘》["红学"专著]

中国广播电视出版社 2003 年 6 月第一版

2003 年 9 月第二次印刷

2004 年 1 月第三次印刷

2005 年 6 月第四次印刷

115.[96]《眼角眉梢》

新华出版社 2003 年 8 月第一版

116.[97]《钟鼓楼》[初中生语文新课标必读]

人民日报出版社 2003 年 9 月第一版

117.[98]《天梯之声》

中国青年出版社 2003 年 10 月第一版

2004 年

118.[99] Poussiêre et sueur [《尘与汗》法译本]

Bleu de Chine 2004 年 1 月第一版

119.[100] La mort de Lao SHe [《老舍之死》歌剧剧本法译本]

Bleu de Chine 2004 年 3 月第一版

120.[101] Poisson à face humaine [《人面鱼》法译本]

Bleu de Chine 2004 年 3 月第一版

121.《如意》[电影伴读中国文学文库·附电影光盘]

中国青年出版社 2004 年 1 月第一版

122.[102]《泼妇鸡丁》

台湾二鱼文化事业有限公司 2004 年 4 月第一版

123.[103]《在柳树臂弯里——刘心武随笔》

光明日报出版社 2004 年 5 月第一版

124.[104]《材质之美——刘心武城市文化酷评》

中国建材工业出版社 2004 年 5 月第一版

125.[105]《站冰——刘心武小说新作集》(自绘插图)

人民文学出版社 2004 年 6 月第一版

126.《四牌楼》

上海文艺出版社 2004 年 8 月第二版

127.[106]《大家文丛: 刘心武》

古吴轩出版社 2004 年 8 月第一版

2005 年

128.《钟鼓楼》(中国文库·文学类)

人民文学出版社 2005 年 1 月第一版第一次印刷 (平装)

2005 年 1 月第一版第一次印刷 (精装)

129.《钟鼓楼》(茅盾文学奖获奖作品全集之一)

人民文学出版社 1985 年 11 月第一版、2005 年 1 月第一次印刷

2005 年 5 月第二次印刷

2005 年 7 月第三次印刷

2006 年 3 月第四次印刷

2008 年 4 月第七次印刷

2009 年 8 月第八次印刷

2010 年 1 月第九次印刷

2011 年 7 月第 15 次印刷

2011 年 9 月第 16 次印刷

2011 年 11 月第 17 次印刷

130.[107]《心灵体操》

时代文艺出版社 2005 年 1 月第一版

131.[108]《刘心武作文示范》

少年儿童出版社 2005 年 1 月第一版

132.[109] La Démone bleue (《蓝夜叉》法译本)

Bleu de Chine 2005 年第一版

133.[110]《红楼望月》

书海出版社 2005 年 4 月第一版

2005 年 6 月第二次印刷

2005 年 7 月第三次印刷

2005 年 8 月第四次印刷

2005 年 9 月第五次印刷

2005 年 9 月第六次印刷

134.[111]《刘心武揭秘〈红楼梦〉》

东方出版社 2005 年 8 月第一版

至 2005 年 19 月共十三次印刷

2005 年 11 月第二版

至 2005 年 12 月已第十八次印刷

至 2007 年 7 月已第二十八次印刷

2007 年 12 月第三十次印刷

2008 年 4 月第三十二次印刷

135.《红楼解梦——画梁春尽落香尘》

中国广播电视出版社 2005 年 9 月第二版第五次印刷

136.《楼前白玉兰——刘心武最新小小说集》

中国广播电视出版社 2005 年 9 月第二版第二次印刷

137.[112]《刘心武揭秘〈红楼梦〉》[第二部]

东方出版社 2005 年 12 月第一版

至 2007 年 7 月已第十五次印刷

2007 年 12 月第十七次印刷

2008 年 4 月第十九次印刷

138.[113]《刘心武解读人世情》

时代文艺出版社 2005 年 12 月第一版

139.[114]《刘心武感悟平常心》

时代文艺出版社 2005 年 12 月第一版

2006 年

140.[115]《刘心武自选集》

云南人民出版社 2006 年 1 月第一版

141.[116]《刘心武点评〈红楼梦〉》

团结出版社 2006 年 1 月第一版

142,《刘心武精品集·第一卷·钟鼓楼》

东方出版社 2006 年 1 月第一版

143.《刘心武精品集·第二卷·四牌楼》

东方出版社 2006 年 1 月第一版

144.《刘心武精品集·第三卷·栖凤楼》

东方出版社 2006 年 1 月第一版

145.《刘心武精品集·第四卷·献给命运的紫罗兰》

东方出版社 2006 年 1 月第一版

146.[117]《戴敦邦绘刘心武评〈金瓶梅〉人物谱》

作家出版社 2006 年 4 月第一版

147.[118]《红楼拾珠》

云南人民出版社 2006 年 5 月第一版

148.[119]《藤萝花饼》

云南人民出版社 2006 年 5 月第一版

149.《刘心武揭秘〈红楼梦〉》[第一部]

台湾好读出版有限公司 2006 年 6 月初版

150.《刘心武揭秘〈红楼梦〉》[第二部]

台湾好读出版有限公司 2006 年 6 月初版

151.《我是刘心武》

天津人民出版社 2006 年 8 月第一版

152.[120]《刘心武揭秘古本〈红楼梦〉》

人民出版社 2006 年 12 月第一版

同月第二次印刷

2007 年

153.[121]《四棵树》

二十一世纪出版社 2007 年第一版

154.[122]《用心去游》

上海三联书店 2006 年 12 月第一版

2007 年 1 月第一次印刷

155.[123] Dés de poulet façon mégère [《泼妇鸡丁》法译本]

Bleu de Chine 2007 年 4 月第一版

156.《一切都还来得及》

中国青年出版社 2005 年 5 月第一版

157.[124]《刘心武揭秘〈红楼梦〉》[第三部·黛玉之谜及古本之秘]

东方出版社 2007 年 7 月第一版

至 2007 年 8 月已第四次印刷

2007 年 12 月第六次印刷

2008 年 3 月第七次印刷

158.[125]《刘心武说世道人心》

中国青年出版社 2007 年 7 月第一版

159.[126]《刘心武说寻美感悟》

中国青年出版社 2007 年 7 月第一版

160.[127]《刘心武说草根情怀》

中国青年出版社 2007 年 7 月第一版

161.[128]《长吻蜂》

上海人民出版社 2007 年 8 月第一版

162.《私人照相簿》

华龄出版社 2007 年 10 月第一版

163.《善的教育》

华龄出版社 2007 年 10 月第一版

164.[129]《刘心武揭秘〈红楼梦〉》[第四部·宝钗湘云之谜暨红楼心语]

东方出版社 2007 年 11 月第一版

2008 年 3 月第三次印刷

2008 年

165.[130]《健康携梦人》

中国海关出版社 2008 年 4 月第一版

166.[131]《刘心武小说》

吉林文史出版社 2008 年 5 月第一版

167.[132]《刘心武散文》

吉林文史出版社 2008 年 5 月第一版

2009 年

168.《钟鼓楼》(共和国作家文库)

作家出版社 2009 年 4 月第一版

169.《四牌楼》(共和国作家文库)

作家出版社 2009 年 4 月第一版

170.[133]《人在胡同第几槐》

中国文联出版社 2009 年 6 月第一版

171.《钟鼓楼》(新中国 60 年长篇小说典藏)

人民文学出版社 2009 年 7 月第一版

172.[134]《刘心武短篇小说》

现代教育出版社 2009 年 8 月第一版

173.[135]《刘心武中篇小说》

现代教育出版社 2009 年 8 月第一版

174.[136]《刘心武散文随笔》

现代教育出版社 2009 年 8 月第一版

175.《刘心武揭秘〈红楼梦〉》上卷（共和国作家文库）

作家出版社 2009 年 8 月第一版

176.《刘心武揭秘〈红楼梦〉》下卷（共和国作家文库）

作家出版社 2009 年 8 月第一版

2010 年

177.[137]《人情似纸》

江苏文艺出版社 2010 年 1 月第一版

178.[138]《红楼梦八十回后真故事》

江苏人民出版社 2010 年 3 月第一版

179.[139]《刘心武小说精选集》

[台湾] 新地文化艺术有限公司 2010 年 4 月第一版

180.《红楼望月》

江苏人民出版社 2010 年 6 月第一版

2010 年 9 月第二次印刷

181.[140]《命中相遇——刘心武话里有画》

上海文艺出版社 2010 年 7 月第一版

182.[141]《红楼眼神》

重庆出版社 2010 年 9 月第一版

2011 年

183.[142]《刘心武续红楼梦》

江苏人民出版社 2011 年 3 月第一版

江苏人民出版社 2011 年 4 月第 4 次印刷

184.[143]《红楼梦》（曹雪芹著刘心武续）

江苏人民出版社 2011 年 3 月第一版

185.《刘心武续红楼梦》[繁体字竖排本]

　　　　　　　　　　香港明报出版社有限公司 2011 年 3 月初版

186.《刘心武揭秘〈红楼梦〉》精华本（一）

　　　　　　　　　　江苏人民出版社 2011 年 4 月第一版

187.《刘心武揭秘〈红楼梦〉》精华本（二）

　　　　　　　　　　江苏人民出版社 2011 年 4 月第一版

188.《刘心武揭秘〈红楼梦〉》精华本（三）

　　　　　　　　　　江苏人民出版社 2011 年 4 月第一版

189.《刘心武揭秘〈红楼梦〉》精华本（四）

　　　　　　　　　　江苏人民出版社 2011 年 4 月第一版

190.《刘心武续红楼梦》[繁体字竖排本]

　　　　　　　台湾城邦文化事业股份有限公司商周出版 2011 年 4 月第一版

191.《〈红楼梦〉的真故事》

　　　　　　　台湾人类智库数位科技股份有限公司 2011 年 6 月第一版

192.[144]《听刘心武说房子的事儿》

　　　　　　　　　　中国商业出版社 2011 年 8 月第一版

193.[145]《刘心武心灵随感》

　　　　　　　　　　时代文艺出版社 2011 年 11 月第一版

2012 年

194.[146]《刘心武种四棵树》

　　　　　　　　　　漓江出版社 2012 年 1 月第一版

195.[147]《风雪夜归正逢时——我是刘心武》

　　　　　　　　　　漓江出版社 2012 年 1 月第一版

196.《献给命运的紫罗兰》

　　　　　　　　　　漓江出版社 2012 年 1 月第一版

197.[148]《人生有信》

江苏人民出版社 2012 年 3 月第一版

198.Poussiêre et sueur [《尘与汗》法译本 folio 袖珍版]

Gallimard 2012 年 8 月出版

199.La Cendrillon du canal [《护城河边的灰姑娘》法译本 folio 袖珍版]

Gallimard 2012 年 8 月出版